William George Jordan

O poder do autocontrole

Título original: *Self-Control: its kingship and majesty*

Copyright © 1905 William George Jordan

O poder do autocontrole
1ª edição: Julho 2021

Direitos reservados desta edição: CDG Edições e Publicações

O conteúdo desta obra é de total responsabilidade do autor e não reflete necessariamente a opinião da editora.

Autor:
William George Jordan

Tradução:
Rebeca Pinho

Revisão:
Fernanda Guerriero Antunes, Karina Kerge

Projeto gráfico:
Jéssica Wendy

DADOS INTERNACIONAIS DE CATALOGAÇÃO NA PUBLICAÇÃO (CIP)

Jordan, William George
   O poder do autocontrole : a chave para dominar os seus pensamentos / William George Jordan ; tradução de Rebeca Pinho. – São Paulo : Citadel, 2021.
   128 p.

ISBN: 978-65-87885-79-7

Título original: Self-Control its kingship and majesty

1. Autoajuda 2. Autocontrole 3. Desenvolvimento pessoal I. Título II. Pinho, Rebeca
21-2532   CDD - 158.1

Angélica Ilacqua - Bibliotecária - CRB-8/7057

Produção editorial e distribuição:

contato@citadel.com.br
www.citadel.com.br

William George Jordan

O poder do autocontrole

A chave para dominar
os seus pensamentos

Tradução:
Rebeca Pinho

TEMPORALIS

Sumário

I.	O reinado do autocontrole	7
II.	Os crimes da língua	13
III.	A burocracia do dever	19
IV.	A suprema caridade do mundo	25
V.	Preocupação, a grande doença americana	33
VI.	A grandeza da simplicidade	39
VII.	Vivendo a vida novamente	47
VIII.	Compartilhando as nossas tristezas	55
IX.	As revelações da energia de reserva	63
X.	A majestade da calma	71
XI.	Pressa, o flagelo da América	77
XII.	O poder da influência pessoal	83
XIII.	A dignidade da autossuficiência	89
XIV.	O fracasso como sucesso	97
XV.	Fazendo nosso melhor sempre	105
XVI.	O caminho real para a felicidade	115

I

O reinado do autocontrole

O homem tem dois criadores, seu Deus e ele mesmo. Seu primeiro criador fornece-lhe a matéria-prima da sua vida e as leis, em conformidade com as quais ele pode fazer dessa vida o que quiser. Seu segundo criador, ele próprio, tem poderes maravilhosos que raramente percebe. É o que o homem faz dele mesmo que conta.

Quando um homem fracassa na vida, ele normalmente diz: "Eu sou como Deus me fez". Quando obtém sucesso ele se proclama orgulhosamente um "homem que se fez por si mesmo". O homem não é colocado neste mundo com uma finalidade, mas como uma possibilidade. O maior inimigo do homem é ele mesmo. Na sua fraqueza, é uma criatura das circunstâncias. Tornar-se uma vítima ou um vitorioso depende amplamente dele mesmo.

O homem nunca é verdadeiramente grandioso somente pelo que ele é, mas sempre pelo que pode se tornar. Até o homem estar totalmente preenchido com o conhecimento

O poder do autocontrole

da majestade de suas possibilidades, até chegar a ele o brilho da realização do seu privilégio de viver a vida destinada a ele, como uma vida individual pela qual ele é pessoalmente responsável, está meramente titubeando através dos anos.

Para visualizar a sua vida como ela pode ser, o homem precisa subir sozinho as montanhas do pensamento espiritual, assim como Cristo foi sozinho para o Jardim, deixando o mundo para reunir forças para viver no mundo. Ele deve respirar o ar puro e fresco do reconhecimento da sua importância divina como um indivíduo e com a mente purificada e vibrando com novas forças, ele deve lidar com os problemas do seu dia a dia.

O homem precisa menos da ideia "Eu sou um simples grão de poeira" em sua teologia e mais do conceito "Sou uma ótima alma humana com maravilhosas possibilidades", como um elemento vital no seu trabalho religioso diário. Com essa ampliação, estimulante visão de vida, ele vê como pode alcançar o seu reinado por meio do autocontrole. E o autocontrole, que é visto nos exemplos mais espetaculares da história e nas fases mais simples da vida diária, é precisamente o mesmo em tipo e qualidade, diferindo apenas em grau. O homem pode obter esse controle se ele quiser; é só uma questão de pagar o preço.

O poder do autocontrole é uma das maiores qualidades que diferenciam o homem dos animais inferiores. Ele é o único animal capaz de ter uma luta ou uma conquista moral.

Cada passo durante o progresso do mundo tem sido um novo "controle". Tem sido a fuga da tirania de um fato para a compreensão e o domínio daquele fato. Por eras o homem olhou aterrorizado para os relâmpagos; até o dia em que começou a entendê-los como eletricidade, uma força que dominou e tornou sua escrava. Os milhões de fases da invenção da eletricidade são manifestações do nosso controle sobre uma grande força. Mas o maior de todos os "controles" é o autocontrole.

A cada momento da vida de um homem, ele é tanto um Rei quanto um escravo. Ao se render a um desejo errado, a qualquer fraqueza humana; conforme ele cai prostrado numa submissão sem esperança a qualquer condição, a qualquer ambiente, a qualquer fracasso, ele é um escravo. À medida que ele, dia a dia, esmaga as fraquezas humanas, dominando os elementos contrários dentro dele e, dia a dia, recria um novo ser a partir de seus pecados e da insensatez do seu passado − então, ele é um Rei. Ele é um Rei governando com sabedoria sobre ele próprio. Alexandre conquistou o mundo inteiro, exceto a ele próprio. Imperador da terra, ele era um escravo servil de suas próprias paixões.

Nós olhamos com inveja as posses dos outros e desejamos que elas fossem nossas. Algumas vezes sentimos isso de uma forma vaga, de uma maneira sonhadora sem nenhum pensamento de realização, como quando sonhamos ter a coroa da Rainha Vitória, ou a autossatisfação do Imperador William. Algumas vezes, entretanto, nos tornar-

O poder do autocontrole

mos amargos, nos revoltamos com a distribuição errada das boas coisas da vida e, então, caímos numa resignação fatalista da nossa condição.

Invejamos o sucesso dos outros, quando devíamos imitar o processo pelo qual aquele sucesso surgiu. Vemos um esplêndido desenvolvimento físico de Sansão, porém nos esquecemos de que, quando bebê e criança, ele era tão fraco que havia pouca esperança de que sua vida seria poupada.

Podemos algumas vezes invejar o poder e a força espiritual de um Paulo, sem notar as fraquezas de Saulo de Tarso, do qual ele foi transformado através do seu autocontrole.

Fechamos nossos olhos para milhões de exemplos de sucesso do mundo – mental, moral, físico, financeiro ou espiritual, – no qual o grande sucesso final veio de um início bem mais fraco e pobre que o nosso.

Qualquer homem pode obter o autocontrole se ele apenas quiser. Ele não deve esperar ganhá-lo a não ser por um longo e contínuo pagamento de preço, em pequenos gastos progressivos de energia. A Natureza acredita minuciosamente no plano de continuidade, de cotas, nas suas relações com o indivíduo. Nenhum homem é tão pobre que não possa começar a pagar pelo que quer. E cada pagamento pequeno e individual que faça, a Natureza guardará e acumulará para ele como um fundo reserva na sua hora de necessidade.

A paciência que o homem gasta para suportar os pequenos desafios do seu cotidiano, a Natureza guarda para ele como uma maravilhosa reserva para uma crise da vida.

Com a Natureza, o mental, o físico ou a energia moral que ele gasta diariamente com ações corretas estão totalmente armazenados para ele e transmutados em força. A Natureza nunca aceita um pagamento integral em espécie por nada; isso seria uma injustiça com os pobres e fracos.

É somente o plano de prestação progressiva que a Natureza reconhece. Nenhum homem pode criar ou quebrar um hábito num instante. É uma questão de desenvolvimento, de crescimento. Mas a qualquer momento o homem pode começar a criar ou a quebrar qualquer hábito. Essa visão do crescimento de caráter deveria ser um poderoso estímulo para o homem que sinceramente deseja e está determinado a viver o mais perto do limite de suas possibilidades.

O autocontrole pode ser desenvolvido precisamente da mesma forma como desenvolvemos um músculo fraco: com pequenos exercícios dia após dia. Vamos fazer, a cada dia, como um simples exercício de disciplina de ginástica moral, alguns atos que nos são desagradáveis, cujo exercício nos ajudará a agir imediatamente na nossa hora de necessidade. O exercício pode parecer bem simples – largar por um tempo um livro extremamente interessante na página mais intrigante da história; pular da cama assim que acordar; voltar a pé para casa quando for perfeitamente possível, mas houver a tentação de pegar o carro; falar com uma pessoa desagradável e tentar fazer com que a conversa seja prazerosa. Esses exercícios diários de disciplina moral terão um maravilhoso efeito tônico na integridade da natureza moral do homem.

O poder do autocontrole

O indivíduo pode atingir o autocontrole nas grandes coisas apenas por meio do autocontrole nas pequenas coisas. Ele deve se estudar para descobrir qual é o ponto fraco em sua armadura, qual é o elemento dentro dele que sempre o afasta de seu sucesso mais completo. Essa é a característica sobre a qual ele deve começar seus exercícios de autocontrole. É egoísmo, vaidade, covardia, morbidez, raiva, preguiça, preocupação, devaneios, falta de propósito? Ele deve descobrir qualquer forma que a fraqueza humana assume no baile de máscaras da vida. Ele deve, então, viver cada dia como se toda a sua existências estivesse reduzida àquele dia que está diante dele. Sem nenhum arrependimento inútil pelo passado, nenhuma preocupação inútil com o futuro, ele deve viver aquele dia como se fosse o seu único dia. O único dia restante para ele afirmar tudo que houver de melhor nele, o único dia restante para ele derrotar tudo que houver de pior nele. Ele deve dominar o elemento fraco dentro de si a cada pequena manifestação de momento em momento. Cada momento deve ser uma vitória por algo ou para ele. Ele será um Rei, ou será um escravo? A resposta está com ele.

II

Os crimes da língua

O segundo instrumento mais mortal de destruição é a dinamite, a primeira é a língua humana. A dinamite apenas destrói corpos; a língua destrói reputações e, muitas vezes, arruína caracteres. Cada dinamite trabalha sozinha; cada língua carregada tem centenas de cúmplices. A destruição de uma dinamite é logo visível. O mal completo da língua perdura por vários anos; até os olhos do Onisciente podem se cansar de acompanhá-lo até seu fim.

Os crimes da língua são palavras de crueldade, ódio, malícia, inveja, amargura, críticas duras, fofoca, mentiras e escândalos. Roubo e assassinato são crimes terríveis, porém, somados no período de um ano, a tristeza, a dor e o sofrimento que eles causam em uma nação são microscópicos, quando comparados com as dores que se originam dos crimes da língua. Coloque-os, em um dos pratos da balança da Justiça, os males resultantes dos atos de criminosos e, no outro, o luto e as lágrimas e o sofrimento resultantes de

O poder do autocontrole

crimes contra a honra, e você se surpreenderá ao ver que o prato que achava que seria o mais pesado estará mais alto.

Nas mãos de ladrões e assassinos poucos de nós sofremos, mesmo que indiretamente. Mas da língua descuidada de um amigo, da língua cruel de um inimigo, quem está livre? Nenhum ser humano pode viver uma vida tão verdadeira, tão justa, tão pura para estar além do alcance da malícia ou imune às venenosas emanações da inveja. Os ataques insidiosos contra a reputação de alguém, as insinuações repulsivas, as meias-verdades, por meio das quais a mediocridade invejosa procura arruinar seus superiores, são como aqueles insetos parasitas que matam o coração e a vida de um carvalho poderoso. O método é tão covarde, tão furtivo o furo dos espinhos venenosos, tão insignificantes os atos isolados em sua aparência, que ninguém está alerta contra eles. É mais fácil desviar de um elefante do que de um micróbio.

Em Londres, recentemente foi formada um Liga Antidifamação. Seus membros prometem combater, de todas as maneiras que estão a seu alcance, "o costume predominante das difamações faladas, cujas terríveis e intermináveis consequências, em geral, não são estimadas".

A difamação é um dos crimes da língua, mas não é o único. Todo indivíduo que pronuncia uma palavra de difamação é um investidor ativo numa sociedade para a difusão do contágio moral. Ele é instantaneamente punido pela Natureza ao ter seus olhos mentais ofuscados para a doçura e para a pureza, e sua mente entorpecida para luz do sol e para o brilho da caridade. Desenvolveu-se uma perversão maravilhosa e engenhosa da visão mental, pela qual todo ato alheio é explicado e interpretado a partir dos motivos mais baixos possíveis. Eles se tornam como certas moscas carniceiras, que passam indiferentemente por enormes jardins de rosas, para se banquetear com um pedaço de carne podre. Eles desenvolveram faro afiado para a matéria asquerosa da qual se alimentam.

Existem travesseiros molhados por choros; existem nobres corações feridos no silêncio de onde não vem nenhum grito de protesto; existem naturezas gentis e sensíveis, queimadas e destruídas; existem amigos de longa data separados e andando seus caminhos solitários com a esperança morta e a memória como uma dor, uma agonia; existem desentendimentos cruéis, que fazem a vida parecer sombria. Essas são apenas algumas das tristezas que vêm dos crimes da língua.

Um homem pode levar uma vida de honestidade e pureza, batalhando bravamente por tudo que ele preza, tão seguro e certo da integridade de sua vida, que nunca pensa, nem por um instante, sobre a diabólica genialidade que cria o mal e os relatos maléficos em que nada de bom realmente existe. Algumas palavras faladas displicentemente pela língua de um difamador, uma expressão significativa dos olhos, um cruel dar de ombros, com um franzir dos lábios – e, então, uma mão amiga se torna fria, um sorriso frequente é substituído por um sorriso de escárnio, e fica-se sozinho e

O poder do autocontrole

distante com um atordoante sentimento de surpresa diante de algo vago e intangível que causou tudo.

Os jornais sensacionalistas de hoje são os grandes responsáveis por esse delírio pelo escândalo. Cada jornal não é uma língua, mas centenas ou milhares de línguas, contando a mesma história ofensiva para diversos pares de ouvidos que a escutam. Os abutres do sensacionalismo farejam a carcaça da imoralidade de longe. Da parte mais extrema da terra eles coletam pecado, a desgraça e a estupidez da humanidade e os mostram despidos para o mundo. Eles não requerem nem fatos para lembranças mórbidas e imaginações férteis que fazem com que os piores acontecimentos do mundo pareçam inofensivos, quando comparados com a monstruosidade de suas invenções. Essas histórias e as discussões que elas acaloram desenvolvem nos leitores um poder barato e astucioso de distorção dos atos de todos à sua volta.

Se um homem rico faz uma doação para uma caridade, eles dizem: "Ele fez isso para ter seu nome falado, para ajudar nos seus negócios." Se ele doa anonimamente, eles dizem: "Oh, é algum milionário que é inteligente o suficiente para saber que evitar de dar seu nome criará curiosidade; ele fará que o público seja informado mais tarde." Se ele não dá para caridade, eles dizem: "Oh, ele é mesquinho com o seu dinheiro, claro, como outros milionários". Para a língua vil da fofoca e calúnia, a virtude é sempre considerada nada mais do que uma máscara; os ideais nobres apenas uma pretensão, a generosidade um suborno.

Um homem que está acima de seus companheiros deve esperar ser alvo para as flechas invejosas de suas inferioridades. É uma parte do preço que ele deve pagar pelo seu progresso. Uma das personagens mais detestáveis de toda a literatura é Iago.

Invejando a promoção de Cassio ao posto de tenente, ele odiou Otelo. Foi sua uma daquelas naturezas baixas que se tornam obcecadas em manter sua dignidade, falando sobre "preservar sua honra", esquecendo-se de que já estava morta havia tanto tempo, que nem o embalsamamento poderia preservá-la. Dia após dia Iago soltava seu veneno; dia após dia criava um ressentimento sutil e estudava a vingança, destilando o veneno da desconfiança e da suspeita em doses mais poderosamente traiçoeiras. Com uma mente perfeitamente concentrada na obscuridade de seu propósito, ele teceu uma rede de evidências circunstanciais em volta da inocente Desdêmona e, então, indiretamente a assassinou, pelas mãos de Otelo. Sua simplicidade, confiança, inocência e ingenuidade fizeram de Desdêmona uma alvo fácil para as táticas diabólicas de Iago.

Iago ainda vive nos corações de milhares, que têm toda a sua desprezível maldade sem sua inteligência. O constante despejar de suas palavras mentirosas de malícia e de inveja, ao final, desgastou as nobres reputações de seus superiores.

Para nos sustentarmos nos nossos próprios julgamentos precipitados, às vezes dizemos, enquanto ouvimos, e aceitamos sem investigação, as palavras desses modernos

O poder do autocontrole

Iagos: "Bem, onde tem muita fumaça, deve ter algum fogo". Sim, mas o único fogo pode ser o fogo da malícia, um fogo incendiário da reputação de outrem pela tocha acesa da inveja, lançada nos fatos inocentes de uma vida de superioridade.

III

A burocracia do dever

Dever é a palavra mais supervaloriza de todo o vocabulário da vida. O dever é a anatomia fria e nua da retidão. O dever olha para a vida como uma dívida a ser paga; o amor vê a vida como uma dívida a ser recebida. O dever está sempre pagando as obrigações; o amor está constantemente contando seus prêmios.

O dever é forçado, como um bombeamento; o amor é espontâneo, como uma fonte natural. O dever é regulado e formal; faz parte da burocracia da vida. Significa correr sobre os trilhos da moral. É bom o suficiente como um começo; é pobre como uma finalidade.

O menino que "ficou no convés em chamas", e que se suicidou por motivos técnicos de obediência, foi apresentado aos alunos deste século como um modelo de fidelidade ao dever. O menino foi uma vítima de adesão cega à burocracia da vida. Ele estava colocando toda a responsabilidade por seus atos em outras pessoas que não ele. Estava impotentemente esperando por instruções numa hora de emer-

O poder do autocontrole

gência quando ele deveria ter agido por si mesmo. Seu ato foi um sacrifício vazio. Foi um desnecessário desperdício de uma vida humana. Não fez bem algum ao pai, ao menino, ao barco ou à nação.

O capitão que afunda junto com o navio, quando ele já fez tudo ao seu alcance para salvar os demais e quando pode salvar a própria vida sem desonra, é uma vítima do falso senso de dever. Ele cruelmente se esqueceu daqueles que o amam em terra firme e que ele está sacrificando. Sua morte significa uma saída espetacular da vida, o medo covarde de um comitê de investigação ou o leal senso de dever, porém, equivocado, de um homem corajoso. Uma vida humana, com suas maravilhosas possibilidades, é uma propriedade individual muito sagrada para ser tão displicentemente lançada para a eternidade.

Eles nos falam da "nobreza sublime" do soldado romano em Pompeia, cujo esqueleto foi encontrado séculos depois, fundido na lava derretida que cobriu a cidade condenada. Ele ainda estava esperando em um dos portões, no seu posto, ainda segurando uma espada em seus dedos destruídos. A sua foi uma lealdade mórbida a uma disciplina da qual uma grande convulsão da Natureza o havia liberado. Um autômato teria ficado ali parado pelo mesmo tempo, com a mesma coragem e tão desnecessariamente.

O homem que dedica uma hora da sua vida ao serviço amoroso, consagrado à humanidade, está fazendo um trabalho mais elevado, melhor e mais verdadeiro para o mundo, do que um exército de sentinelas de Roma prestando um tributo inútil para a burocracia do dever. Não existe nessa interpretação de dever nenhuma simpatia ao homem que abandona seu posto quando necessário; é apenas um protesto contra a perda da essência, a realidade do verdadeiro dever em adorar a mera forma.

Analise, se você quiser, quaisquer instâncias históricas marcantes de lealdade ao dever e, sempre que elas soarem verdadeiras, você encontrará a presença do elemento real que fez o ato ser quase divino. Foi dever mais amor. Não foi um simples senso de dever que fez Grace Darling arriscar sua vida em uma terrível tempestade de sessenta anos atrás, quando ela partiu na escuridão da noite, num mar revolto, para resgatar os sobreviventes do naufrágio do *The Forfarshire*. Foi o senso de dever, aquecido e estimulado pelo amor à humanidade, foi uma coragem heroica de um coração cheio de compaixão e simpatia divinas.

O dever é um processo difícil e mecânico para fazer com que os homens realizem coisas que o amor faria facilmente. É um medíocre substituto do amor. Não é uma motivação suficientemente elevada para inspirar a humanidade. O dever é o corpo para o qual o amor é a alma. O amor, na divina alquimia da vida, transmuta todos os deveres em privilégios, todas as responsabilidades em alegrias.

Um trabalhador que derruba suas ferramentas com as batidas do meio-dia, tão rapidamente como se fora atingido por um raio, talvez esteja cumprindo o seu dever. Mas ele

O poder do autocontrole

não está fazendo nada além disso. Nenhum homem teve um grande sucesso em sua vida ou uma adequada preparação para a imortalidade por meramente cumprir o seu dever. Ele deve fazer isso, e mais. Se ele colocar amor no seu trabalho, o "mais" será fácil.

Uma enfermeira pode fielmente vigiar ao lado da cama de uma criança doente como um dever. Mas, para o coração da mãe, o cuidado do pequeno, na batalha contra a morte, nunca é um dever; é o manto dourado do amor cobrindo cada ato que faz com que a palavra "dever" tenha um som áspero, como se fosse a voz da profanação.

Quando uma criança acaba mal quando mais velha, os pais podem dizer: "Bem, eu sempre cumpri meu dever com ela". Então não é nenhuma surpresa o menino ter se dado mal. "Cumprir o seu dever para com o seu filho a maioria das vezes implica apenas comida, abrigo, roupas e educação dadas pelo pai. Ora, uma instituição pública daria isso! O que o menino mais precisava era de profundas doses de amor; precisava viver em uma atmosfera de doce empatia, aconselhamento e confiança. Os pais sempre devem ser um refúgio permanente, uma constante fonte de inspiração, não só uma despensa, ou hotel, ou guarda-roupa, ou escola que forneça essas coisas de graça. Essa ostentação vazia do dever parental é um dos maiores perigos da sociedade moderna.

O cristianismo se destaca como uma das religiões fundamentadas no amor, não no dever. O cristianismo junta todos os deveres numa só palavra: amor. O amor é um grande dever ordenado pela religião cristã. O que o dever faz crescer lentamente, o amor alcança num instante nas asas de uma pomba. O dever não é perdido, condenado ou destruído no cristianismo; ele é honrado, purificado e exaltado, e todos os seus caminhos ásperos são suavizados pelo amor.

A suprema instância da generosidade na história do mundo não é a doação de milhões por uma pessoa de grande nome; é a doação de uma pequena importância por uma viúva cujo nome não aparece. Por trás da doação da viúva não existe o senso de dever; foi o total, livre e perfeito presente de um coração cheio de amor. Na Bíblia, "dever" é mencionado somente cinco vezes; "amor," centenas.

Na conquista de qualquer fraqueza na nossa formação mental e moral; na obtenção de qualquer força; na nossa mais alta e mais verdadeira relação com nós mesmos e com o mundo, vamos sempre fazer do "amor" nossa palavra de ordem, não um simples "dever".

Se desejamos viver uma vida de verdade e honestidade, para tornar nossa palavra tão forte quanto nosso vínculo, não esperemos nos manter ao longo da estreita linha da verdade sob o açoite constante do látego do dever. Vamos começar a amar a verdade, a encher nossa mente e vida com a forte luz branca da sinceridade e da honestidade genuínas. Vamos amar a verdade com tanta força que se desenvolverá dentro de nós, sem nosso esforço consciente, o horror sempre presente de uma mentira.

O poder do autocontrole

Se desejarmos fazer o bem no mundo, vamos começar a amar a humanidade, a perceber mais verdadeiramente a grande nota dominante que soa em cada mortal, apesar de toda as discórdias da vida; a grande ligação natural da unidade que faz de todos os homens irmãos. Então a inveja, a malícia, o ciúme, as palavras desagradáveis e os cruéis julgamentos serão ofuscados e perdidos no brilho do amor.

O grande triunfo do século 19 não é o seu maravilhoso progresso em invenções; não são seus passos largos na educação; sua conquista das regiões escuras do mundo; a propagação de um tom mental superior por toda a terra; o extraordinário aumento do conforto material e riqueza. O maior triunfo do século não é nada nem tudo isso; é a doce atmosfera de Paz que está cobrindo as nações, é a crescente aproximação das pessoas da terra. A Paz nada mais é do que a respiração, o perfume, a vida do amor. O amor é um maravilhoso anjo da vida que afasta todas as pedras da tristeza e do sofrimento do caminho do dever.

IV

A suprema caridade do mundo

A verdadeira caridade não é representada por uma caixa de esmolas. A benevolência de um talão de cheques não alcança todos os desejos que a humanidade almeja. Dar comida, roupa e dinheiro aos pobres é somente o começo, o jardim de infância da verdadeira caridade. A caridade possui formas mais elevadas e puras de manifestação. A caridade não é outra coisa senão uma busca instintiva pela justiça na vida. A caridade procura suavizar as dificuldades da vida, transpor os abismos do pecado e da tolice humana, alimentar os famintos de coração, dar força aos que lutam, ser terna com a fraqueza humana e, acima de tudo, significa obedecer ao mandamento Divino: "Não julgue".

O verdadeiro símbolo da grande caridade são os pratos da balança de julgamento erguida ao alto, suspensa na mão da Justiça. Estão tão perfeitamente equilibrados que estão em repouso; eles não ousam parar por um momento para pronunciar o julgamento final; cada segundo acrescen-

O poder do autocontrole

ta um grão de evidência para cada lado da balança. Com esse parâmetro diante dele, o homem, consciente de suas próprias fraquezas e fragilidades, não ousa se apropriar da prerrogativa Divina de declarar julgamentos severos ou finais para qualquer indivíduo. Ele procurará treinar a mente e o coração para a grande perspicácia, pureza e delicadeza em observar os movimentos trêmulos da balança na qual pesará os caracteres e as reputações daqueles à sua volta.

É uma grande pena que todas as melhores palavras sejam degradadas. Escutamos as pessoas falarem: "Eu amo estudar caráter, nos carros e nas ruas". Elas não estão estudando caráter; estão meramente observando características. O estudo sobre caráter não é um quebra-cabeça que o homem pode resolver de um dia para o outro. O caráter é mais sutil, ilusório, está em mudança e é contraditório – uma estranha mistura de hábitos, crenças, tendências, ideais, motivos, fraquezas, tradições e memórias que se manifestam em milhares de diferentes fases.

Contudo, existe não mais que uma qualidade necessária para o entendimento perfeito sobre o caráter, uma qualidade que, se o homem a tiver, ele pode ousar julgar – que é a onisciência. A maioria das pessoas estuda o caráter como um revisor debruça-se sobre um grande poema: seus ouvidos estão entorpecidos com a maestria e música dos versos, seus olhos estão ofuscados pela imaginação mágica da genialidade do autor; o revisor está ocupado buscando por uma vírgula invertida, a falta de um espaço ou uma letra na fonte errada. Ele tem um olhar treinado para as imperfeições, para as fraquezas. Homens que se orgulham de ser perspicazes em descobrir os pontos fracos, vaidade, desonestidade, imoralidade, intrigas e pequenezas dos outros pensam que compreendem o caráter. Eles só sabem de uma parte do caráter – eles só sabem de algumas profundezas nas quais alguns homens podem se afundar; não conhecem as alturas às quais alguns homens podem chegar. Um otimista é um homem que teve sucesso em se associar com a humanidade por algum tempo sem se tornar cínico.

Nós nunca vemos o objetivo que um homem almeja na vida; vemos somente o objetivo que ele atinge. Nós julgamos pelos resultado e imaginamos uma infinidade de motivos que devem estar na sua cabeça. Nenhum homem desde a criação foi capaz de viver uma vida tão pura e nobre para que ficasse isento dos preconceitos daqueles ao seu redor. É impossível obter alguma coisa, além de uma imagem distorcida de um espelho côncavo ou convexo.

Se alguém sofre um revés, as pessoas tendem a falar: "É um julgamento sobre ele". Como elas sabem? Elas têm escutado por detrás dos portões do Paraíso? Quando a tristeza e o fracasso vêm para nós, nós os entendemos como encomendas mal endereçadas, que deveriam ter sido entregues em outro lugar. Nós nos dedicamos demais a olhar o jardim de nossos vizinhos, capinando muito pouco o nosso.

O poder do autocontrole

Garrafas foram pegas milhares de quilômetros de onde elas foram jogadas na água. Elas têm sido a brincadeira do vento e do clima; carregadas pelas correntes do oceano, elas chegaram a um destino sequer sonhado. Nossas irrelevantes, descuidadas palavras de julgamento sobre o caráter de alguém, palavras indiscriminadamente e, talvez, inocentemente faladas, podem ser carregadas por correntezas desconhecidas e levar tristeza, miséria e vergonha para um inocente. Um sorriso cruel, um dar de ombros ou um silêncio inteligentemente eloquente podem arruinar, num instante, a reputação que um homem ou mulher vinham construindo havia anos. Um simples movimento da mão pode destruir a delicada geometria de uma teia de aranha, tecida pelo seu próprio corpo e por sua vida, e, contudo, nem todo o esforço do universo poderia refazê-la como estava.

Nós não precisamos julgar nem perto do tanto quanto achamos que devemos. Essa é a era do julgamento rápido. Esse hábito é fortemente intensificado pela mídia sensacionalista. Vinte e quatro horas após um grande assassinato é difícil achar um número suficiente de homens que ainda não tenham formulado um julgamento, para decidir o caso. Esses homens, na maioria das vezes, leram e aceitaram o relato do jornal, incompleto e altamente tendencioso; eles devem, para sua própria satisfação, descobrir o assassino, praticamente julgando-o e sentenciando-o. Escutamos leitores declarar suas decisões com toda a força e incondicionalidade de alguém que teria tido o Livro da Vida completo, luminoso e aberto diante de si. Se tiver um momento na vida em que a atitude agnóstica é bonita, é no caso de julgar os outros. É a coragem de dizer: "Eu não sei. Eu estou esperando mais evidências. Eu devo escutar os dois lados da questão. Até lá eu adio todos os julgamentos". É esse julgamento adiado que é a suprema forma da caridade.

É estranho que na vida reconheçamos o direto de qualquer criminoso de ter um julgamento justo e público e, ainda assim, condenamos sem escutar os queridos amigos à nossa volta, apenas por evidências circunstanciais. Nós nos apoiamos na mera evidência dos nossos sentidos, confiando nela cegamente, e a permitimos varrer, como uma poderosa maré, a fé que tem sido nossa por anos. Nós vemos toda vida se obscurecer, a esperança sumir diante de nossos olhos e os tesouros de ouro da memória se tornarem pensamentos cruéis de perda que nos atormentam com uma dor enlouquecedora. Nosso julgamento precipitado, que poucos instantes de explicação eliminariam, nos fez deixarmos de amar o amigo de toda uma vida. Se somos assim injustos com aqueles de quem gostamos, quão cruel deve ser a injustiça do nosso julgamento dos demais?

Não sabemos nada das dificuldades, tristezas e tentações daqueles à nossa volta, dos travesseiros encharcados pelo pranto, da tragédia da vida que possa estar escondida atrás de um sorriso, dos cuidados secretos, batalhas e

O poder do autocontrole

preocupações que encurtam a vida e deixam suas marcas em cabelos prematuramente embranquecidos e no caráter mudado e quase recriado em poucos dias.

Nós algumas vezes falamos para aqueles que parecem calmos e sorridentes: "Você deve ser extremamente feliz; você tem tudo que um coração pode desejar". Pode ser que naquele exato momento a pessoa esteja passando sozinha por um sofrimento de tristeza, onde os dentes parecem quase morder os lábios na tentativa de manter os sentimentos sob controle, quando a vida parece com uma morte em vida, para a qual não há alívio. Então, essas frases displicentes e irrelevantes palavras nos afetam e nos vemos tão isolados e apartados do resto da humanidade, como se vivêssemos em outro planeta.

Vamos ousar não adicionarmos às dificuldades dos outros a dor de nossos julgamentos. Se queremos impedir os nossos lábios de se expressar, devemos controlar nossas mentes, devemos parar essa contínua sessão de julgamento dos atos dos outros, mesmo em particular. Vamos, por meio de exercícios diários de autocontrole, aprender a desligar o processo de julgar – como quem desliga o gás. Vamos eliminar o orgulho, a paixão, os sentimentos pessoais, o preconceito e a pequenez das nossas mentes e uma emoção mais elevada e pura se apressará a entrar, como o ar procura encher um vácuo. A caridade não é uma fórmula; é uma atmosfera. Vamos cultivar a caridade ao julgar; vamos buscar extrair o bem latente nos outros, em vez de buscar descobrir o mal oculto. É necessário o olhar da caridade para ver, numa lagarta, a borboleta ainda não formada. Se queremos alcançar a plena glória do nosso privilégio, a dignidade de uma vida verdadeira, vamos ter como nosso lema o mandamento da caridade suprema do mundo – "Não julgar".

V

Preocupação, a grande doença americana

A preocupação é a forma mais popular de suicídio. A preocupação tira o apetite, perturba o sono, faz a respiração ficar irregular, estraga a digestão, irrita o humor, desvia o caráter, enfraquece a mente, estimula doenças e consome a saúde física. É a causa real da morte de milhares de casos em que outra doença foi indicada na certidão de óbito. A preocupação é um veneno mental; o trabalho é o alimento para a mente.

Quando a dedicação de uma criança a seu estudo a impede de dormir ou quando ela vira de um lado para o outro, murmurando a tabuada ou soletra palavras em voz alta, quando o sono vem, essa criança demonstra que está se preocupando. É um dos sinais de perigo da Natureza erguido para alertar os pais; e, por piedade, os pais devem assumir uma posição firme. O peso das tarefas diárias daquela criança deve ser aliviado, a tensão da concentração deve ser diminuída, as horas de escravidão para a educação devem ser encurtadas.

O poder do autocontrole

Quando um homem ou mulher trabalha nos problemas do dia em seus sonhos, quando as horas de sono são gastas no girar de um caleidoscópio das atividades do dia, então existe excesso de trabalho ou preocupação e é bem provável que a preocupação venha do excesso de trabalho. O Criador nunca teve a intenção de fazer que uma mente saudável sonhasse com os deveres diários. Sono sem sonhos ou sonhos sobre o passado, essa deveria ser a ordem da noite.

Quando o espectro de um pesar, um medo, uma tristeza, se intromete entre os olhos e as páginas impressas; quando a voz interna dessa memória irritante ou o medo surge tão ruidosamente como que para abafar as vozes externas, existe perigo para o indivíduo. Quando todo dia, toda hora, todo momento, existe uma dor obscura, insistente e paralisante, de alguma coisa que se faz ser sentida através, por cima e por baixo de todos os nossos pensamentos, nós precisamos saber que estamos nos preocupando. Então existe somente uma coisa a ser feita: nós devemos parar essa preocupação; devemos matá-la.

Os sábios homens deste século maravilhoso fizeram grandes descobertas nas suas observações da Natureza. Descobriram que tudo que foi criado tem seu uso. Eles lhe ensinarão a não matar as moscas com as fitas com cola adocicada, pois "as moscas são os necrófagos da Natureza." Eles lhe dirão exatamente quais são os deveres e responsabilidades especiais de cada um dos micróbios microscópicos. Em seus estados mais selvagens de entusiasmo científico, eles podem se aventurar a lhe persuadir a acreditar que até o mosquito serve a um propósito real na Natureza, mas nenhum homem que já existiu pode verdadeiramente falar coisas boas sobre a preocupação.

A preocupação é premeditação semeada. A preocupação é diminuir possíveis tristezas futuras para que o indivíduo possa ter um presente miserável. A preocupação é a mãe da insônia. A preocupação é o traidor do nosso lado, que umedece a nossa pólvora e enfraquece nossa mira. Sob o disfarce de nos ajudar a suportar o presente e de estar preparada para o futuro, a preocupação multiplica inimigos dentro de nossa própria mente para consumir nossa força.

A preocupação é o domínio da mente sobre uma ideia vaga, incansável, insatisfatória, medonha e terrível. A energia mental e a força que deveriam estar concentradas nas sucessivas tarefas do dia são constante e sorrateiramente abstraídas e absorvidas por uma ideia fixa. Toda a força rica do trabalho inconsciente da mente, que produz nossos melhores sucessos, que representa nossa melhor atividade, é extraída, desviada e desperdiçada em preocupação.

A preocupação não deve ser confundida com ansiedade, apesar de ambas concordarem no significado: originalmente, uma "asfixia" ou um "estrangulamento", referindo-se, obviamente, ao efeito de sufocamento sobre uma atividade individual. A ansiedade encara os maiores problemas da vida de forma séria e calma, com dignidade. A ansiedade sempre sugere uma possibilidade esperanço-

O poder do autocontrole

sa; é ativa em estar disponível e em conceber medidas para atingir o resultado.

A preocupação não é uma grande tristeza individual; é uma colônia de minúsculos, indistintos, insignificantes e incansáveis demoniozinhos do medo, que se tornam importantes apenas por sua combinação, sua constância e interação.

Quando a Morte chega, quando alguém que amamos nos deixa e o silêncio, a solidão e o vazio de todas as coisas nos fazem olhar para o futuro sem lágrimas, nós desistimos de nós mesmos, por um tempo, por conta da agonia do isolamento. Essa não é uma preocupação insignificante que devemos matar antes que nos mate. Essa é a terrível majestade da tristeza que misericordiosamente nos entorpece, embora possa mais tarde se tornar, no trabalho misterioso da onipotência, um rebatismo e uma regeneração. É o hábito da preocupação, o constante aumento das preocupações insignificantes que eclipsam o sol da felicidade, contra o que eu aqui protesto.

Para curar a preocupação, o indivíduo precisa ser seu próprio médico; ele deve dar ao caso um tratamento heroico. Ele deve perceber, com cada fibra do seu ser, a total e absoluta inutilidade da preocupação. Ele não deve pensar nela como um lugar-comum, um pedaço de uma mera teoria; é uma realidade que ele deve traduzir para si mesmo, das simples palavras para um fato real e vivo. Ele deve entender completamente que, se for possível para ele gastar toda uma série de eternidades com preocupação, isso não mudaria nenhuma vírgula ou um til do fato. É um tempo para ação, não para preocupação, porque a preocupação paralisa o pensamento e a ação também. Se você criar uma coluna com valores a serem somados, nenhuma quantidade de preocupação pode mudar o total da soma desses valores. O resultado está envolto na inevitabilidade da matemática. O resultado somente poderá ser diferente se mudarem os valores que são lançados, um a um, na coluna.

O único momento em que o homem não pode se dar ao luxo de se preocupar é quando ele se preocupa. Ele, então, está enfrentando uma mudança radical no assunto, ou imagina que esteja. Esse é o momento em que ele necessita de cem porcento da sua energia mental para fazer seus planos rapidamente, para verificar qual decisão é a mais sábia, para ter uma boa visão do céu e do seu percurso e uma mão firme no leme, até que tenha enfrentado a tempestade com segurança.

Existem duas razões pelas quais o homem não deve se preocupar e qualquer uma das duas deve funcionar em qualquer situação. Primeiro, porque ele não pode impedir os resultados que teme. Segundo, porque ele pode impedi-los. Se ele é incapaz de evitar o golpe, precisa de uma concentração mental perfeita para enfrentá-lo bravamente, aliviando a força do golpe, para que possa salvar o que puder do naufrágio, para manter sua força nesse momento em que tem que planejar um novo futuro. Se ele pode impedir o mal que teme, então não tem necessidade de se preocupar,

O poder do autocontrole

porque, caso fizesse isso, estaria desperdiçando sua energia na sua hora de maior necessidade.

Se um homem, dia após dia, faz o melhor que pode com a luz que tem, ele não precisa temer, não precisa se arrepender, não precisa se preocupar. Nenhuma agonia de preocupação faria nada para ajudá-lo. Nenhum mortal, nenhum anjo, pode fazer mais do que o seu melhor.

Se olhamos para trás para nossa vida passada, nós veremos como, no maravilhoso trabalhar dos acontecimentos, as cidades das nossas maiores felicidades e de nossos sucessos completos foram construídas às margens dos rios das nossas tristezas, dos nossos mais miseráveis fracassos. Então nós percebemos que a nossa felicidade ou sucesso atuais teriam sido impossíveis, não fosse por algumas terríveis aflições e perdas no passado – alguma maravilhosa força potente na evolução de nosso caráter e de nosso destino. Isso deveria ser um estímulo maravilhoso para suportarmos os desafios e tristezas da vida.

Curar alguém de uma preocupação não é uma tarefa fácil; ela não será removida em duas ou três aplicações do remédio enganador de alguma filosofia barata, mas requererá somente senso comum claro e simples aplicado ao negócio da vida. O homem não tem o direito de desperdiçar suas energias, de enfraquecer seus próprios poderes e influências, porque tem deveres inalienáveis para com ele mesmo, sua família, a sociedade e o mundo.

VI

A grandeza da simplicidade

A simplicidade é a eliminação de tudo que é não essencial em todas as coisas. Ela reduz a vida ao mínimo das necessidades reais; e a eleva até o máximo de seus poderes. A simplicidade significa a sobrevivência – não do mais apto, mas do melhor. Na moral ela mata as ervas do vício e da fraqueza, de modo que as flores da virtude e da força tenham espaço para crescer. A simplicidade elimina o desperdício e intensifica a concentração. Ela converte tochas de luz bruxuleante em holofotes.

Todas as grandes verdades são simples. A essência do cristianismo poderia ser transmitida em poucas palavras; a duração de uma vida não seria nada além de continuar a procurar como tornar essas palavras reais e vivas em pensamentos e ações. A verdadeira crença do indivíduo cristão é sempre mais simples que o credo da sua igreja; e sob esses elementos vitais de alicerce ele constrói sua vida. A altura das críticas nunca cresce à altura da sua simplici-

O poder do autocontrole

dade. Ele não se importa se foi a baleia que engoliu Jonas ou se foi Jonas que engoliu a baleia. A interpretação detalhista das palavras e frases é uma dispersão intelectual para a qual ele não tem tempo. Ele pouco se importa com a anatomia da religião; ele tem a sua alma. Sua fé simples na qual ele vive, em pensamento, palavra e ato, dia a dia. Como a cotovia, ele vive o mais perto do chão; como a cotovia, ele sobe mais alto em direção ao Céu.

O ministro, cujos sermões são feitos meramente de flores de retórica, raminhos de citação, doce fantasia e trivialidades perfumadas, está – consciente ou inconscientemente – posando no púlpito. Suas tortas literárias, espuma doce numa esponja, base suculenta, nunca ajudaram uma alma humana. Elas não dão força, nem inspiração. Se a mente e o coração do pregador estivessem realmente inebriados com a grandeza e a simplicidade da religião, ele iria, semana após semana, aplicar as retumbantes verdades da sua fé aos problemas vitais da vida cotidiana. O teste de um sermão forte e simples é o resultado, – não o louvor de domingo dos seus ouvintes, mas suas vidas melhoradas durante a semana. As pessoas que rezam ajoelhadas no domingo e atacam seus vizinhos na segunda-feira precisam de simplicidade na sua fé.

Nenhum caráter pode ser simples, a não ser que seja fundamentado na verdade – a não ser que seja vivido em harmonia com a sua própria consciência e ideais. A simplicidade é a pura luz branca de uma vida vivida a partir do interior. Ela é destruída por qualquer tentativa de viver em harmonia com a opinião pública. A opinião pública é a consciência dirigida por um sindicato, em que o indivíduo é meramente um acionista. Mas o indivíduo tem a consciência da qual ele é o único proprietário. Adaptar sua vida a seus próprios ideais é a estrada real para a simplicidade. A afetação é a confissão da inferioridade; é uma proclamação desnecessária de alguém que não vive a vida que finge viver.

A simplicidade é o desafio tranquilo das coisas não essenciais da vida. Uma fome interminável por aquilo que não é essencial que é o segredo de muito do descontentamento do mundo. É o esforço constante para ofuscar os outros que mata a simplicidade e a felicidade.

A Natureza, em todas as suas revelações, procura ensinar ao homem a grandeza da simplicidade. A saúde não é nada além de viver uma vida física em harmonia com algumas leis simples, claramente definidas. Comidas simples, exercícios simples, precauções simples farão maravilhas. Mas o homem se cansa das coisas simples, ele se rende a tentações sutis no comer e beber, escuta a sua boca, em vez da Natureza. E ele sofre. E é então levado a conhecer intimamente a indigestão e se senta como uma criança diante de sua mesa farta, forçado a se limitar a comer as comidas simples que desdenhava.

Existe um força vigorosa, nas horas de dor e de aflição, para escapar do mundo e da sociedade e retornar aos de-

O poder do autocontrole

veres e interesses simples que descuidamos e esquecemos. Nosso mundo fica menor, mas torna-se mais querido e mais grandioso. As coisas simples têm um novo encanto para nós e, de repente, percebemos que temos renunciado a tudo o que é maior e melhor, em nossa busca por algum fantasma.

A simplicidade é a característica mais difícil de reproduzir. A assinatura mais difícil de copiar é aquela que é mais simples, a mais exclusiva e mais livre de ornamentos. A nota que é a mais difícil de falsificar com sucesso é aquela que contém poucas linhas e a que tem detalhes menos complicados. Tão simples que qualquer desvio do normal é imediatamente aparente. Assim também é na mente e na moral.

A simplicidade num ato é a expressão visível da simplicidade de pensamento. Os homens que carregam em seus ombros o destino de uma nação são quietos, modestos e despretensiosos. Normalmente eles se tornam gentis, calmos e simples por meio da disciplina de suas responsabilidades. Eles não têm espaço nas suas mentes para a pequenez da vaidade pessoal. É sempre o percussionista principal da banda, que fica pomposo quando pensa que o mundo todo o está assistindo conforme ele marcha à frente do desfile. O grande general, curvado com as honras de muitas campanhas, é simples e despretensioso como uma criança.

O graduado de uma faculdade assume um ar de alguém a quem foi confiada a sabedoria de todos os tempos, enquanto o grande homem da ciência, o Colombo de algum grande continente de investigação, é simples e humilde.

As mais longas conjugações latinas parecem ser necessárias para expressar os pensamentos de jovens escritores. Os grandes mestres mundiais da literatura podem levar a humanidade às lágrimas, iluminar e dar vida a milhares que estão na escuridão e dúvida ou punir uma nação por sua insensatez, com palavras tão simples e triviais. Porém, transformadas pela divindade do gênio, elas até parecem um milagre em palavras.

A vida prossegue maravilhosamente bela quando a vislumbramos como simples, quando conseguimos deixar de lado os cuidados e tristezas triviais, , preocupações e fracassos e falar: "Eles não contam. Elas não são as coisas reais da vida; não são nada além de interrupções. Existe alguma coisa dentro de mim, minha individualidade, que faz com que estes mosquitos de problemas pareçam tão insignificantes para que eu os permita terem qualquer domínio sobre mim". A simplicidade é um solo mental em que a fraude, a mentira, a enganação, a traição, o egoísmo e ambição não podem crescer.

O homem cujo caráter é simples encara a verdade e honestidade tão diretamente que ele não tem consciência da intriga e corrupção à sua volta. Ele é surdo aos palpites e sussurros dos erros que uma natureza duvidosa suspeitaria mesmo antes que existissem. Ele desdenha combater intrigas com intrigas, ter poder por meio do suborno,

O poder do autocontrole

prestar falsas honras a um inferior que teve uma sorte temporária. Para a verdadeira simplicidade, perceber uma verdade é começar a vivê-la; ver um dever é começar a cumpri-lo. Nada de grandioso pode entrar na consciência de um homem de simplicidade e permanecer apenas como uma teoria. A simplicidade num caráter é como uma agulha de uma bússola: ela conhece apenas um ponto, o seu Norte, o seu ideal.

Vamos tentar cultivar essa simplicidade em todas as coisas na nossa vida. O primeiro passo em direção à simplicidade é "simplificar". O começo do progresso ou reforma mental ou moral é sempre a renúncia ou o sacrifício. A rejeição, desistência ou destruição de aspectos separados de hábitos ou da vida nos mantiveram afastados de coisas mais elevadas. Reformule sua dieta e você a simplificará; faça seu discurso mais verdadeiro e mais elevado e você o simplificará; reformule sua moral e você começará a eliminar as suas imoralidades. A verdade de toda grandeza é a simplicidade. Faça da simplicidade o lema da sua vida e você será grande, não importa se a sua vida seja humilde e sua influência aparente, apenas pequena. Hábitos simples, modos simples, necessidades simples, palavras simples, crenças simples – todas são manifestações puras de uma mente e coração de simplicidade.

A simplicidade nunca deve estar associada à fraqueza e à ignorância. Ela representa reduzir toneladas de minério em pepitas de ouro. Ela representa a luz de conhecimento mais completo; significa que o indivíduo viu a loucura e o vazio daquelas coisas que fazem a soma na vida de outros. Ele desprezou o que os outros estão cegamente buscando viver. A simplicidade é o sol de uma vida centrada e pura, o segredo de qualquer grandeza específica na vida do indivíduo.

VII

Vivendo a vida novamente

Durante uma terrível tempestade há alguns anos, um barco foi levado para longe do seu curso e, desamparado e incapacitado, rumou a uma estranha baía. O estoque de água esgotou-se, e a tripulação sofreu a agonia da sede, mas, ainda assim, ninguém ousou beber a água salgada na qual o navio flutuava. Num ato extremo, eles desceram um balde pela lateral do navio e em desespero engoliram a água que acreditavam ser do mar. Mas, para a surpresa e o deleite de todos, a água era doce, refrescante e revigorante. Eles estavam num braço de água doce que escoava no mar e não sabiam. Tiveram simplesmente que estender a mão e aceitar a nova vida e força de vontade pela qual eles haviam rezado.

O homem, atualmente, com o coração consumido por tristeza, pecado e fracasso do seu passado, sente que poderia ter uma vida melhor se ao menos pudesse ter uma outra chance, se pudesse viver a vida novamente, se pudesse começar de novo com seu conhecimento e experiência atuais.

O poder do autocontrole

Ele olha para trás com lembranças de arrependimento dos dias de ouro da juventude e lamenta suas chances desperdiçadas. Ele então se volta esperançoso para o pensamento de uma vida por vir. Mas, desamparado, ele fica imobilizado entre as duas extremidades da vida, ainda sedento pela chance de viver uma nova realidade, de acordo com a sua condição melhorada para vivê-la. Em sua cegueira e desconhecimento, ele não percebe, tal como os soldados levados pela tormenta, que a nova vida está à sua volta; ele só tem que buscá-la e alcançá-la. Cada dia é uma nova vida, cada nascer do sol é um novo nascimento para ele e para o mundo; toda manhã é o começo de uma nova existência para ele, uma grande chance de dar novos e melhores usos às consequências do seu passado .

O homem que olha para o seu passado e diz: "Eu não tenho nada de que eu me arrependa", viveu em vão. A vida sem arrependimento é uma vida sem ganho. O arrependimento é a luz do conhecimento completo, que vem do nosso passado para iluminar o nosso futuro. Significa que, atualmente, somos mais sábios do que éramos ontem. Essa nova sabedoria representa novas responsabilidades, novos privilégios; é uma nova chance para uma vida melhor. Porém, se o arrependimento permanecer meramente como um "arrependimento", ele será inútil; ele deve se tornar a revelação de novas possibilidades e a inspiração e fonte de força para percebê-los. Mesmo a onipotência não poderia mudar o passado, mas cada homem, até um certo nível muito além do seu conhecimento, segura seu futuro nas suas próprias mãos.

Se um homem for sincero em seu desejo de viver a vida novamente, ele receberá mais ajuda dos seus fracassos. Se ele perceber que desperdiçou horas valiosas de oportunidades, que não se deixe desperdiçar outras horas em arrependimento inútil, mas que procure esquecer sua loucura e manter diante de si somente as lições tiradas delas. Suas antigas extravagâncias com o tempo deveriam guiá-lo para diminuir sua perda com a maravilhosa economia dos momentos presente. Se toda a sua existência for encoberta pela memória de um erro cruel que ele cometeu contra alguém, se for impossível reparar diretamente aquele que sofreu o dano, passada a vida, que ele faça do mundo seu legatário para receber suas manifestações de reparação. Que seus arrependimentos e tristezas sejam manifestados em palavras de carinho e simpatia e atos de doçura e amor dados para todos com quem ele entre em contato. Se ele se arrepende de uma guerra que fez contra um indivíduo, que coloque o mundo inteiro como seu beneficiário. Se um homem comete um determinado erro uma vez, a única forma dele expressar propriamente que reconheceu o erro é não cometer um erro similar mais adiante. Josh Billings uma vez disse: "Um homem que é mordido duas vezes pelo mesmo cachorro está mais adaptado a esse negócio do que qualquer outro".

O poder do autocontrole

Existem muitas pessoas no mundo que querem viver a vida novamente porque têm muito orgulho do seu passado. Elas se parecem com os pedintes na rua que lhe dizem "já vi dias melhores". Não é o que o homem foi que mostra o seu caráter; é o que ele progressivamente é. Tentar obter um recorde atual por um passado morto é como um medíocre dos dias atuais, que tenta viver através de seus ancestrais. Nós olhamos as frutas nos galhos da árvore da família, não nas raízes. Demonstrar como uma família se degenerou de um nobre ancestral de gerações passadas até o representante atual não é uma ostentação; é uma confissão desnecessária. Que o homem pense menos sobre seus próprios ancestrais e mais naqueles que ele está preparando para a sua posteridade; pense menos sobre seu passado virtuoso e mais no seu futuro.

Quando o homem pede por uma chance de viver a vida novamente, sempre existe uma desculpa implícita de inexperiência ou falta de conhecimento. Isso é imoral, até mesmo para covardes. Nós sabemos as regras para uma boa saúde e, ainda assim, as ignoramos e as desafiamos todos os dias. Sabemos qual é a comida adequada para nós, e ainda assim satisfazemos nossos apetites e confiamos em nossa inteligência para de alguma forma quitar nossa conta com a Natureza. Sabemos que o sucesso é uma questão de leis simples, claramente definidas, do desenvolvimento do essencial para a mente, da incansável energia e concentração, do constantemente pagamento do preço. Sabemos disso tudo, mas ainda assim não vivemos de acordo com nossos conhecimentos. Nós constantemente nos ofuscamos com nós mesmos e, então, culpamos o Destino.

Os pais normalmente aconselham as crianças com relação a certas coisas que eles mesmos fazem, na tola esperança de que as crianças vão acreditar mais em seus ouvidos do que nos seus olhos. Anos de ensinamento cuidadoso para que uma criança seja honesta e sincera podem ser anulados num instante por uma mentira de um dos pais, para um cobrador em um transporte, sobre a idade da criança a fim de economizar um níquel. Esse pode ser um passeio de bonde muito caro para a criança e para os seus pais. Pode ser parte do espírito dessa época, acreditar que não é pecado algum trapacear uma corporação, mas não é sábio dar à criança um exemplo tão impressionante em uma idade na qual ela não consegue identificar o sofisma.

O único apelo do homem pela chance de viver mais uma vez é que ele ganhou em sabedoria e experiência. Se ele for realmente comprometido, então poderá viver novamente, poderá viver a vida que virá até ele dia após dia. Que ele deixe para o passado, aos milhares de ontem reunidos, todos os seus erros, pecados, tristezas, miséria e loucura e comece renovado. Que ele feche o livro da sua velha vida, que encontre um equilíbrio e comece novo, creditando a ele toda a sabedoria que adquiriu dos seus fracassos e fraquezas passados, encarregando-o com as novas obrigações e responsabilidades que vêm com a posse de seu novo capital de sabedoria. Que

O poder do autocontrole

ele critique menos aos outros e mais a si mesmo, e comece bravamente nessa nova vida que está para viver.

O que o mundo precisa é de viver mais o dia a dia; começando pela manhã com ideais frescos e claros para aquele dia e procurando viver aquele dia, e a cada hora e momento sucessivos daquele dia, como se fosse todo o tempo e toda a eternidade. Isso não traz em si nenhum elemento de desprezo com o futuro, pois cada dia é ajustado em harmonia com aquele futuro. É como o capitão conduzindo o seu navio ao porto de destino, dia após dia mantendo a embarcação navegando em sua direção. Esse modo de ver a vivência mata os arrependimentos mórbidos do passado e as preocupações mórbidas sobre o futuro. A maioria das pessoas quer ter garantidos grandes pedaços da vida; não estaria satisfeita com o maná fresco todos os dias, como foi dado aos filhos de Israel. Eles querem silos de grão diariamente cheios de pães.

A vida vale ser se for de uma forma que valha a pena. O homem não possui a sua vida para fazer o que quiser dela. Ele tem apenas uma participação nela. Ao final, ele deve entregá-la, com uma prestação de contas. A cada virada de ano é comum fazer novas resoluções, mas, na verdadeira vida do indivíduo, cada dia é o começo de um ano, se ele assim o quiser. Uma mera data no calendário da eternidade é um divisor do tempo, assim como um determinado grão de areia divide o deserto.

Não vamos fazer resoluções heroicas muito além das nossas forças, para que não se tornem lembranças mortas dentro de uma semana; mas vamos prometer a nós mesmos que cada dia será um novo começo de uma vida mais nova, melhor e mais verdadeira para nós mesmos, para aqueles à nossa volta e para o mundo.

VIII

Compartilhando as nossas tristezas

O homem mais egoísta do mundo é aquele que é mais altruísta com suas tristezas. Ele não deixa que um único de seus infortúnios não seja relatado para você, ou não seja sofrido por você. Ele lhe dá todos eles. O mundo se transforma, para ele, em um grande grupo criado para reter suas angústias, preocupações e desafios particulares. Seu erro está em formar esse grupo; ele deveria controlar tudo ele mesmo; assim, evitaria que todos pegassem algum dos seus infortúnios.

A vida é um grande e sério problema para o indivíduo. Todas as nossas grandes alegrias e nossas mais profundas tristezas vêm até nós sozinhas. Devemos adentrar nosso Getsêmani sozinhos. Devemos batalhar contra a poderosa fraqueza dentro de nós sozinhos. Devemos viver a nossa própria vida sozinhos. Devemos morrer sozinhos. Devemos aceitar a total responsabilidade por nossas vidas, sozinhos. Se cada um de nós tem esse poderoso problema da vida

O poder do autocontrole

para resolver por si próprio, se cada um de nós tem as próprias angústias, responsabilidades, fracassos, dúvidas, temores e lutos, certamente estamos fazendo papel de covardes quando compartilhamos as nossas tristezas com os outros.

Nós deveríamos procurar fazer a vida mais brilhante para os outros; deveríamos procurar encorajá-los nos seus desafios por meio do exemplo da nossa coragem para suportar as nossas tristezas. Deveríamos tentar esquecer os nossos fracassos e lembrar somente da nova sabedoria que eles nos deram; nós deveríamos viver nossos lamentos contando as alegrias e privilégios ainda deixados para nós; coloquemos para trás nossas preocupações e arrependimentos e encaremos cada novo dia da vida tão bravamente quanto pudermos. Mas não temos nenhum direito de narrar nossas tristezas e infelicidade pela comunidade afora.

O relato da própria vida constitui uma grande parte das conversas de algumas pessoas. Não é realmente uma conversa, é um monólogo ininterrupto. Essas pessoas estudam suas vidas particulares com um microscópio e, então, colocam uma visão ampliada dos seus infortúnios numa tela e dão palestras sobre eles, como um homem estereotipado discursa sobre os micróbios numa gota d'água. E lhe falam: que "eles não pregaram o olho durante a noite toda; escutavam o relógio a cada quinze minutos". No entanto, não existe uma causa real para se gabar dessa insônia. Não requer nenhum talento especial, muito embora isso só aconteça com pessoas totalmente acordadas.

Se você perguntar a um homem como ele está se sentindo, ele vai traçar toda a genealogia da sua condição atual até o momento em que teve uma gripe há quatro anos. Você esperava uma palavra; ele lhe dá um tratado. Você pediu uma frase; ele lhe entrega uma enciclopédia. Seu lema: "A cada homem seu próprio biógrafo devotado". Ele está compartilhando suas tristezas.

Uma mulher que tem seus desafios com suas crianças, seus problemas com seus empregados, suas dificuldades com sua família, tem como objetivos das conversas com seus interlocutores compartilhar suas tristezas. Se ela possui uma querida criança inocente que decide não deixar ninguém dormir, não seria mais sábio para a mãe suportá-la calma e discretamente, em silêncio, do que compartilhar essa tristeza?

O homem de negócios que deixa sua azia atrapalhar sua disposição e que faz todo mundo à sua volta sofrer porque ele está doente está compartilhando a sua falta de saúde. Não temos o direito de fazer dos outros vítimas dos nossos humores. Se doenças nos deixam aflitos ou irritados, vamos nos submeter a uma quarentena para que não espalhemos o contágio. Vamos nos forçar a falarmos devagar, a mantermos a raiva longe dos olhos, a evitarmos demonstrar a irritação na voz. Se nós sentirmos que estamos prestes a sentir azia, deixemos isso fora da nossa cabeça, vamos impedir que a azia suba pelo nosso pescoço.

O poder do autocontrole

A maioria das pessoas simpatiza demais com si própria, vendo-se como uma simples frase isolada do grande texto da vida. Elas se estudam muito como se estivessem separadas do resto da humanidade, ao invés de estarem vitalmente conectadas com seus companheiros. Existem algumas pessoas que se entregam à tristeza, enquanto há outras que dão lugar à imoderação. Existe um orgulho vão pela tristeza tanto quanto há pela beleza. A maioria dos indivíduos tem um estranho lampejo de vaidade ao olhar seu passado e sentir que poucas pessoas na vida sofreram desafios, dificuldades e desapontamentos tais como os que sofreu.

Quando a Morte entra no círculo daqueles que amamos e que fazem nosso mundo, toda a vida fica sombria para nós. Parece-nos que não temos razão para existir, nenhum objetivo, nenhum incentivo, nenhuma esperança. O amor que faz a luta e o esforço suportáveis para nós se foi. Encaramos, com olhos sem lágrimas, para um futuro e não vemos futuro algum; não desejamos um futuro. A vida se torna um passado para nós, sem futuro. Não é nada além de uma lembrança, sem esperança.

Então, no divino mistério dos processos da Natureza, sob o gentil e confortante toque do Tempo, conforme os dias se derretem em semanas, nós começamos a gradualmente abrir nossos olhos para o mundo à nossa volta e o barulho e o tumulto da vida nos incomoda menos e menos a cada vez. Nós nos tornamos emocionalmente convalescentes. Conforme os dias passam, em nosso profundo amor, na plenitude de nossa lealdade, nós frequentemente protestamos, com lágrimas nos nossos olhos, contra nosso retorno gradual ao espírito e atmosfera dos dias do passado. Sentimos, de forma sutil, uma nova dor, como se estivéssemos sendo desleais com nosso amado, como se fôssemos infiéis ao nosso amor. A natureza docemente põe de lado nossas mãos que protestam e nos diz: "Não há deslealdade em permitir que os ferimentos diminuam na sua dor, se curem gradualmente, como se o tempo previsse que eles podem se curar". Existem algumas naturezas totalmente absortas num amor poderoso, onde nenhuma cura é possível, mas essas são almas raras na vida.

Por mais amarga que seja nossa angústia, não temos o direito de compartilhar a nossa tristeza. Não temos o direito de lançar uma tristeza sobre naturezas felizes, enquanto obedecemos aos termos prescritos pela Sociedade para vestirmos o traje do luto, como se o luto real precisasse de um uniforme. Não temos o direito de compartilhar o nosso luto usando papéis com uma pesada margem preta, tão larga quanto uma fita de chapéu, assim desfilando o nosso luto para os outros nos seus momentos mais felizes.

Se a vida não se saiu bem para nós, se o destino nos deixou desconsolados, se o amor esfriou e nós nos sentamos sozinhos diante das brasas; se a vida se tornou para nós um vale de desolação, através do qual os membros cansados devem arrastar o corpo relutante até o fim chegar, não vamos irradiar essa atmosfera para aqueles ao nosso

O poder do autocontrole

redor; não vamos deixar levar estranhos pelas catacumbas da nossa vida e mostrar-lhes os ossos do nosso passado morto; não vamos passar a nossa taça de tristeza para os outros, mas, se devemos bebê-la, vamos tomá-la com fez Sócrates com a sua venenosa cicuta: grandiosa e heroicamente, e sem reclamações.

Se sua vida o levou a duvidar da existência da honra no homem e da virtude na mulher; se você sente que a religião é uma falsidade, que o espiritualismo é uma farsa, que a vida é um fracasso e a morte é a entrada para o nada; se você absorveu toda a filosofia envenenada dos pessimistas do mundo e cometeu a insensatez de acreditar nela, não compartilhe isso.

Se seu companheiro está agarrado a um frágil mastro, o último remanescente de uma fé nobre e naufragada em Deus e na humanidade, deixe que ele se segure. Não afrouxe seus dedos da sua esperança, nem lhe diga que é uma ilusão. Como você sabe? Quem lhe disse que é assim?

Se esses momentos de maré alta da vida levarem a sua fé na Onipotência para o nada, se o amigo no qual você colocou toda a sua fé na humanidade e no Deus da humanidade o trair, não aceite rapidamente os ensinamentos desses livres-pensadores modernos, que compartilham sua infidelidade por um preço por assento reservado. Busque recuperar sua fé perdida escutando os milhões de vozes que falam da sabedoria infinita, do amor infinito, que se manifestam na natureza e na humanidade; então crie, tão rapidamente quanto possa, uma nova fé, a fé em algo mais elevado, melhor e mais verdadeiro do que você conheceu antes.

Você pode ter uma pessoa especial no mundo a quem possa ousar mostrar, com a plenitude da confiança absoluta e perfeita fé, qualquer pensamento, qualquer esperança, qualquer tristeza, mas não ouse confiá-las ao mundo. Não mostre o mundo pela ótica da câmara de Barba Azul; mantenha seus desafios e tristezas o mais perto de si mesmo até ter conseguido dominá-los. Não enfraqueça os outros por isso, compartilhando os seus infortúnios.

IX

As revelações da energia de reserva

Cada indivíduo é uma maravilha de possibilidades desconhecidas e não realizadas. Nove décimos de um *iceberg* estão sempre debaixo d'agua. Nove décimos das possibilidades do bem e do mal de um indivíduo estão escondidos da sua vista.

A oração de Burn, que afirma que nós poderíamos "nos ver como os outros nos veem", era frágil. A resposta só poderia atender apenas a vaidade do homem, só mostraria a ele o que os outros pensam que ele seja. Deveríamos rezar para nos vermos como nós somos. Mas nenhum homem poderia enfrentar a revelação radiante dos poderes e forças latentes dentro dele, ofuscando a fraca e estreita vida que ele está vivendo. Ele cairia cego e prostrado como fez Moisés diante da sarça ardente. O homem não é uma caixa de música mecânica, na qual o Criador deu corda e regulou para tocar um número fixo de melodias

O poder do autocontrole

predeterminadas. Ele é uma harpa humana, com infinitas possibilidades de uma música ainda não revelada.

As incontáveis revelações da Natureza estão em seu poder de reserva. A Energia de Reserva é o método da Natureza para enfrentar emergências. A Natureza é sábia e econômica. A Natureza economiza energia e esforço e dá somente o absolutamente necessário para vida e para o desenvolvimento sob qualquer circunstância determinada. E, quando novas necessidades surgem, a Natureza sempre as atende por meio da sua Energia de Reserva.

Na vida animal a Natureza revela isso em milhões de circunstâncias. Animais colocados na escuridão da Caverna do Mamute tiveram o sentido da visão gradualmente enfraquecido e o sentido do olfato, tato e audição, intensificados. A Natureza cuida de todos os animais, fazendo suas cores harmonizarem com a tonalidade geral dos seus arredores para protegê-los de seus inimigos. Aqueles animais do Ártico que durante o verão habitam regiões sem neve se tornam brancos quando o inverno chega. No deserto, o leão, o camelo e todos os antílopes do deserto têm mais ou menos a mesma cor das areias e das pedras entre as quais eles vivem. Nas florestas tropicais, os papagaios são normalmente verdes; turacos, barbaças e saíras têm uma preponderância da cor verde nas suas plumagens. As cores mudam conforme os hábitos dos animais mudam de geração em geração. A Natureza, por meio da sua Energia de Reserva, sempre atende às novas necessidades dos animais com nova força, nova harmonia com novas condições.

Há cerca de quarenta e cinco anos, três casais de coelhos para criação foram introduzidos na Austrália. Atualmente, o crescimento desses seis imigrantes pode chegar a milhões. Eles se tornaram uma peste para o país. Fortunas foram gastas para exterminá-los. Cercas de arame farpado bem altas foram construídas, se estendendo por muitos quilômetros, para deter os invasores. Os coelhos tiveram que lutar contra terríveis probabilidades para sobreviver, mas atualmente eles derrotaram o homem. Desenvolveram uma longa unha com a qual eles conseguem se agarrar às cercas enquanto as estão escalando. Com essa mesma unha eles conseguem cavar de 15 a 20 centímetros por baixo da rede e, então, entrar nos campos, que representam comida e vida para eles. Eles agora estão rindo dos homens. A Energia de Reserva revigorou, para esses coelhos, possibilidades latentes porque eles não aceitaram pacificamente suas condições, mas na sua luta para sobreviver aprenderam como viver.

No mundo vegetal, a Natureza está constantemente revelando a Energia de Reserva. As possibilidades quase infinitas de cores estão presentes em todas as plantas verdes, até nas raízes e caules. Para revelá-las, são necessárias apenas as condições apropriadas. Obedecendo às leis da Natureza o homem poderá cultivar folhas tão lindamente coloridas quanto as flores. A rosa selvagem tem uma única corola; mas, quando cultivada em um solo rico, os numero-

O poder do autocontrole

sos estames amarelos da flor tornam-se as folhas vermelhas brilhantes da rosa de Provence (rosa centifólia) adulta. Isso não é nada além do milagre da Energia de Reserva da Natureza. Uma vez a banana foi um lírio tropical; o pêssego foi alguma vez uma amêndoa amarga. Para contar a história completa da Energia de Reserva da Natureza eu teria que escrever a história do Universo, em milhares de volumes.

A Natureza acredita muito em "motores duplos". O homem está equipado com quase todas as partes do seu corpo em duplicidade – olhos, orelhas, pulmões, braços e pernas –, de modo que, caso um enfraqueça, o seu parceiro, por meio da Energia de Reserva, seja suficientemente estimulado para atuar pelos dois. Até mesmo quando uma parte não é duplicada, como o nariz, existe uma divisão de partes para que haja sempre uma reserva. A Natureza, para uma proteção sempre maior, tem para todas as partes do corpo um substituto em treinamento, para que esteja pronto numa crise, como o sentido do tato para os cegos.

Os pássaros, quando assustados, agitam suas penas; o cachorro que esteve na água, molhado, sacode sua pelagem para que cada pelo se destaque; um porco-espinho assustado projeta cada espinho. Essas ações são produzidas pelos "músculos da pele" que são rudimentares no homem e sobre os quais, em condições normais, ele não tem controle. Mas, em um momento de um medo horrível, a Energia de Reserva acelera sua atuação num segundo e o cabelo em sua cabeça "fica arrepiado", na intensidade do seu temor.

A Natureza, que, então, olha tão carinhosamente sobre as necessidades físicas do homem, é igualmente previdente em armazenar para ele uma Energia de Reserva mental e moral. O homem pode falhar em dezenas de diferentes áreas de atividades e, então, ter um brilhante sucesso numa área na qual ele não tem nenhuma habilidade conhecida. Não devemos nunca ficar conformados com o que somos e dizer: "Não há motivo para que eu tente. Eu nunca serei bom. Eu nem sou inteligente". Porém, a lei da Energia de Reserva está para nós como uma fada madrinha e diz: "Existe um feitiço através do qual você pode transformar os refugos sombrios do seu atual presente em puro ouro de força e poder. O feitiço é sempre fazer o seu melhor, sempre ousar mais, e a dimensão total da sua conquista final jamais poderá ser revelada antecipadamente. Confie em mim para lhe ajudar com novas revelações de força em novas emergências. Nunca desanime porque seu poder parece muito insignificante e seu progresso muito lento. Os mais grandiosos e melhores homens fracassaram em alguma atividade, fracassaram várias vezes antes que seu fracasso fosse coroado com sucesso".

Existe na mitologia nórdica a crença de que a força dos inimigos que matamos entra em nós. Isso é verdade com relação ao caráter. Conforme dominamos uma paixão, um pensamento, um sentimento, um desejo; conforme nos erguemos acima de alguns impulsos, a força daquela vitória, por mais trivial que possa ser, será guardada pela Natureza

O poder do autocontrole

como uma Energia de Reserva que virá até nós na hora de nossa necessidade.

Se colocássemos diante de quase todos os indivíduos o mapa completo do seu futuro – seus desafios, tristezas, fracassos, aflições, perdas, doenças e solidão – e perguntássemos se conseguiriam suportá-los, eles diria: "Não! Eu não aguentaria tudo isso". Mas eles podem e eles conseguem. As esperanças em cuja realização apostaram todo o seu futuro tornam-se vivas à medida que eles se aproximam delas; amigos nos quais confiavam os traem; o mundo se torna insensível para com eles; a criança cujo sorriso é a luz de sua vida desonra seu nome; a morte tira deles a esposa do seu coração. A Energia de Reserva vem cuidando deles e sempre dando-lhes novas forças, até mesmo enquanto eles dormem.

Se estivermos conscientes de alguma fraqueza e desejarmos dominá-la, podemos nos colocar em posições em que devemos agir de modo a fortalecermos nós mesmos por meio dessa fraqueza, impedir nossa retirada, queimar nossas pontes atrás de nós e lutar como os espartanos até que a vitória seja nossa.

A Energia de Reserva é como o maná dado aos filhos de Israel no deserto, apenas o suficiente para mantê-los por um dia lhes era dado. Cada dia, sucessivamente, tinha seu novo reabastecimento de força. Existe na Torre Inclinada de Pisa uma escada em espiral tão inclinada que, na sua escalada, apenas um degrau é revelado a cada degrau que galgamos. Mas a cada degrau que galgamos, o próximo se torna visível e, assim, degrau por degrau, até o mais alto. Assim, na divina economia do universo, a Energia de Reserva é uma constante e gradual revelação da nossa força interior para atender a cada nova necessidade. E, não importa qual seja a nossa linha de vida, nós deveríamos sentir que temos dentro de nós força e possibilidades infinitas ainda não experimentadas e que, se acreditarmos e fizermos nosso melhor, o Anjo da Energia de Reserva caminhará ao nosso lado e até mesmo dividirá as águas do Mar Vermelho das nossas tristezas e desafios para que possamos atravessá-lo de forma segura.

X

A majestade da calma

A Calma é a qualidade mais rara da vida humana. É o equilíbrio da grande natureza, em harmonia com ela mesma e seus ideais. É a atmosfera moral de uma vida autocentrada, autoconfiante e autocontrolada. A calma é a unicidade do propósito, confiança absoluta e poder consciente, prontos para estarem, num instante, focados para enfrentar uma crise.

O mistério, o centramento de uma pessoa não é um tipo verdadeiro de calma, a petrificação não é calma; é a morte, o silenciamento de todas as energias; enquanto ninguém vive sua vida mais completamente, mais intensamente e mais conscientemente do que um homem que é calmo.

O Fatalista não é calmo. Ele é o escravo covarde do seu ambiente, rendendo-se, sem esperança, à sua atual condição, imprudentemente indiferente ao seu futuro. Ele aceita sua vida como um barco sem leme, navegando no oceano do tempo. Ele não tem bússola, não tem mapa e nenhum porto conhecido para o qual esteja navegando. Sua auto-

O poder do autocontrole

confessada inferioridade a toda a natureza é mostrada em sua existência de rendição constante. Isso não é calma.

O homem que é calmo tem o trajeto da sua vida claramente marcado em seu mapa. Sua mão está sempre no leme. Tormenta, neblina, noite, tempestade, perigo, recifes escondidos, está sempre preparado e pronto para eles. Ele se mantém calmo e sereno porque percebe que, nessas crises da sua jornada, precisa de uma mente clara e uma cabeça fria; que ele não tem nada para fazer a cada dia além do melhor que puder com a luz que tem; que ele não vai temer ou vacilar nem por um momento; que, mesmo que ele tenha que seguir o vento e deixar seu curso por um tempo, nunca se desviará, ele retornará para o verdadeiro caminho, sempre indo na direção do seu porto. Quando chegará, como chegará, não tem importância para ele. Ele descansa na calma, sabendo que fez o seu melhor. Se o seu melhor parece ter sido superado ou revertido, ele ainda assim deve abaixar sua cabeça, com calma. Não é permitido a nenhum homem saber o futuro da sua vida, a finalidade. Deus somente se compromete a entregar ao homem novos começos, nova sabedoria e novos dias para que ele use o melhor do seu conhecimento.

A calma sempre vem de dentro. É a paz e o descanso das profundezas da nossa natureza. A fúria da tempestade e do vento só agitam a superfície do mar; elas só penetram alguns metros; abaixo disso está a calma, profundeza imperturbável. Para estarmos preparados para as grandes crises da vida, devemos aprender a serenidade na nossa vida diária. A calma é o coração do autocontrole.

Quando as preocupações e necessidades do dia lhe deixarem inquieto e começarem a lhe desgastar e você se aborrecer por causa desse conflito, fique calmo. Pare, descanse por um momento e deixe a calma e a paz se afirmarem. Se você deixar essas irritantes influências externas tirarem o melhor de você, estará confessando sua inferioridade para elas, ao permitir que o dominem. Estude os elementos perturbadores um de cada vez, traga toda a sua força de vontade para suportá-los e você verá que eles irão, um a um, esmaecer, como vapores desaparecendo diante do sol. O brilho da calma que vai invadir a sua mente e a vibrante sensação do influxo de uma nova força poderão ser o começo da revelação da suprema calma que é possível para você. Assim, em algum grande momento da sua vida, quando você ficar cara a cara com um terrível desafio, quando a estrutura da sua ambição e carreira ruir num instante, você será corajoso. Poderá, então, cruzar seus braços calmamente, olhar destemida e resolutamente para as cinzas da sua esperança, para os destroços daquilo que você construiu com fé e, com um coração corajoso e voz firme, poderá dizer: "Que seja, eu vou construir novamente".

Quando a língua da malícia e difamação e a perseguição da inferioridade lhe tentarem, apenas por um momento, para que você retalie, quando por um instante você se esquecer de si mesmo em razão da sede de vingança, fique

O poder do autocontrole

calmo. Quando a garça-cinzenta é perseguida por seu inimigo, a águia, ela não se apressa para escapar; ela permanece calma, assume uma posição digna e espera silenciosamente, encarando o inimigo sem se mexer. Com a força incrível com a qual a águia faz o seu ataque, a orgulhosa rainha das aves é frequentemente empalada, atravessada pelo tranquilo bico, em forma de lança, da garça. O método que um homem adota para matar o caráter de outro torna-se suicídio.

Nenhum homem no mundo jamais fez mal a outro, sem se ferir em troca, de alguma forma, de algum modo e em algum momento. A única arma de ataque que a Natureza parece reconhecer é o bumerangue. A Natureza cuida dos seus livros perfeitamente; ela anota cada item, fecha todas as contas, mas nem sempre os apura ao final do mês. Para o homem que é calmo, a vingança está tão abaixo dele, que ele não consegue alcançá-la, mesmo que se curve. Quando ferido, ele não retalia; ele se cobre com o manto real da Calma e segue sossegadamente o seu caminho.

Quando a mão da Morte toca aqueles que amamos, paralisa nossas energias e ofusca o sol de nossas vidas, a calma que vem sendo acumulada durante longos anos, se transforma, num momento, no nosso refúgio e na nossa força de reserva.

A mais sutil de todas as tentações é ver o que parece ser o sucesso do perverso. Requer coragem moral para ver, sem se chocar, a prosperidade material indo para homens que são desonestos; para ver políticos conquistarem importância, poder e riqueza, por meio de fraude e de corrupção; para ver a virtude em trapos e os vícios em veludos; para ver a ignorância sendo valorizada e o conhecimento desprezado. Para o homem que é realmente calmo, esses enigmas da vida não o atraem. Ele está vivendo a sua vida da melhor maneira que pode; ele não está se preocupando com os problemas da justiça, cuja solução deve ser deixada para a Onisciência aplicar.

Quando o homem desenvolve o espírito da Calma, até que se torne tão absolutamente parte dele que sua própria presença a irradie, terá feito um grande progresso na vida. A calma não pode ser adquirida dela mesma ou por ela mesma; ela deve vir como a culminância de uma série de virtudes. O que o mundo precisa e o que os indivíduos precisam é de um padrão mais elevado para viver, um senso de percepção do privilégio e da dignidade da vida, uma concepção mais alta e mais nobre da individualidade.

Com esse grande sentido de calma permeando um indivíduo, o homem se torna capaz de se recolher mais para dentro dele mesmo, longe do barulho, da confusão e da desarmonia do mundo, que chega até os seus ouvidos como trovejar fraco e distante ou tal como o tumulto da vida da cidade é ouvido como um zumbido por um homem num balão.

O homem que é calmo não se isola de forma egoísta do mundo, pois é intensamente interessado por tudo que é relacionado ao bem-estar da humanidade. Sua calma é o Santo dos Santos, dentro do qual ele pode se recolher do

O poder do autocontrole

mundo para ganhar força para viver no mundo. Ele percebe que toda a glória da individualidade, a coroação do seu autocontrole, é a majestade da calma.

XI

Pressa, o flagelo
da América

O primeiro sermão no mundo foi pregado durante a Criação. Foi um protesto Divino contra a Pressa. Foi uma Divina lição objetiva sobre a lei perfeita, o plano perfeito, a ordem perfeita e o método perfeito. Seis dias de trabalho cuidadosamente planejados, programados e concluídos que foram seguidos de descanso. Se aceitarmos a história quer como literal, quer como figurativa, a contagem em dias sucessivos ou em eras compreendendo milhões de anos importa pouco, se apenas aprendermos a lição.

A Natureza é muito antiamericana. A Natureza não se apressa nunca. Cada fase do seu trabalho demonstra planejamento, calma, confiabilidade e nenhuma de pressa. A pressa sempre indica uma falta de método definido, confusão e impaciência do crescimento lento. A Torre de Babel, o primeiro arranha-céu do mundo, foi um fracasso por causa da pressa. Os trabalhadores confundiram sua ambição arrogante com inspiração. Eles tinham muitos construtores,

O poder do autocontrole

e nenhum arquiteto. Eles pensaram em compensar a falta de uma cabeça com um excesso de mãos. Essa é uma característica da Pressa. Ela sempre procura fazer da energia uma substituta para um plano claro e definido, e o resultado será sempre tão infrutífero quanto se tentar transformar um cavalinho de pau em um garanhão de verdade com uma cavalgada veloz.

A pressa é uma imitação da urgência. A urgência tem um ideal, um alvo diferente a ser alcançado pelos métodos mais rápidos e diretos. A urgência tem uma única bússola, na qual ela confia para se orientar e, em harmonia com ela, seu percurso é estabelecido. A Pressa diz: "Eu devo me mover mais rápido. Eu terei três bússolas; elas serão diferentes; eu me guiarei por todas elas. Uma delas provavelmente estará certa". A Pressa nunca compreende que um trabalho de fundação vagaroso e cuidadoso é, afinal, o mais rápido.

A Pressa arruinou mais americanos do que qualquer outra palavra no vocabulário da vida. Ela é o flagelo da América; e é tanto a causa e o resultado da nossa civilização sempre envolvida em urgências. A Pressa adota tantas fantasias como disfarce, que sua identidade nem sempre é reconhecida.

A Pressa sempre paga o preço mais alto por tudo e, normalmente, não recebe o que deseja. Na corrida pela riqueza, os homens frequentemente sacrificam tempo, energia, saúde, família, felicidade e honra, tudo o que o dinheiro não pode comprar e nunca poderá trazer de volta. A Pressa é um fantasma de paradoxos. Os empresários, nos seus desejos de prover a felicidade futura das suas famílias, costumam sacrificar a felicidade atual de sua esposa e filhos no altar da Pressa. Eles se esquecem de que seu lugar na casa deveria ser algo maior do que simplesmente ser "o homem que paga as contas"; eles esperam receber a consideração e a importância que não estão dando.

Nós escutamos muito acerca dos deveres da esposa com o marido e muito pouco do outro lado da questão. "A mulher", eles nos dizem, "deveria receber o seu marido com um sorriso e um beijo, deveria observar, com tato, o humor dele e ser ainda mais doce e incentivadora." Por que esse contínuo balançar do incensário da devoção ao homem de negócios? Por que uma mulher deve verificar, com um olhar tímido o rosto do marido, para "medir o seu humor?" O dia dela não foi, também, um dia de dedicação, responsabilidade e de atenta vigilância? O amor de mãe não resolveu problemas complexos, preocupações com a casa e com a educação dos filhos, que seu amor conjugal a faz querer resolver em segredo? É o homem, então, o sexo mais fraco que deve ser mimado e tratado com ternura como um doente tentando evitar o contato com o mundo?

Na sua pressa de conquistar algumas de suas ambições, para satisfazer o sonho de uma vida, os homens sempre jogam a honra, a verdade e a generosidade aos ventos. Os políticos ousam ficar inertes e ver uma cidade ser envenenada com água insalubre, até que "vejam onde eles vão entrar" numa aquisição da abastecedora de água. Se for necessário

O poder do autocontrole

envenenar um exército, isto também será apenas um incidente na pressa por riqueza.

Essa é a Era da Estufa. O elemento de crescimento natural é colocado de lado e a estufa vem substitui-lo. A Natureza olha tolerantemente como quem diz: "O mais distante que possam ir, mas não mais, minhas crianças tolas".

O sistema educacional atual é uma instituição monumental dedicada à Pressa. As crianças são forçadas a passar por uma série de estudos que varre o ciclo de toda sabedoria humana. A elas é dado tudo que a ambiciosa ignorância da era pode forçar para dentro de suas mentes; tudo é ensinado a elas, exceto o essencial: como usar seus sentidos e como pensar. Suas mentes se tornam congestionadas por uma grande massa de fatos não digeridos e, ainda assim, cruel, a bárbara imposição continua. Você a assiste, até parecer que não poderá aguentar nem mais um instante, e instintivamente ergue a sua mão e diz: "Pare! Esse moderno massacre dos Inocentes não deve continuar!". A Educação sorri suavemente, balança seus braços complacentemente na direção se suas milhares de prisões do conhecimento pelo país afora, e diz: "Quem é você, que ousa dizer uma palavra contra nosso sagrado sistema educacional?". A educação está com pressa. Porque ela falha em fazer em quinze anos o que conseguiria fazer na metade do tempo, com métodos melhores, ela não deveria ser tão pretensiosa. A incompetência nunca é uma razão para se vangloriar. E eles apressam as crianças para uma centena de livros escolares, e então para a falta de saúde, depois para as faculdades, para um diploma e, então, para vida, com uma mente ofuscada, destreinada e inadequada para as obrigações reais.

A Pressa é o golpe mortal na calma, na dignidade e no equilíbrio. A cortesia de antigamente se foi, quando a pressa dos novos tempos chegou. A Pressa é a mãe da azia. Na correria da nossa vida na nossa nação, engolir a comida se tornou um vício nacional. As palavras "Almoços Rápidos" poderiam ser colocadas, com propriedade, em milhares de lápides nos nossos cemitérios. O homem esquece que ele é o único animal que faz refeições; os outros simplesmente comem. Por que ele se abdica do direito de fazer suas refeições e chega ao fim da linha com os meros comedores? O seu estômago, que tem respeito próprio, se rebela e expressa sua indignação com indigestão. Assim, o homem tem que passar pela vida com um pequeno frasco de tabletes de pepsina no bolso. Ele não é nada além de outra vítima dessa loucura por velocidade. A Pressa significa o colapso dos nervos. É o caminho real para a prostração nervosa.

Tudo que é grandioso na vida é produto de um crescimento lento; quanto mais novo, maior, mais elevado e mais nobre o trabalho, mais lento é o seu crescimento e mais certo o seu sucesso duradouro. Os cogumelos atingem todo o seu crescimento numa noite; os carvalhos levam décadas. Um modismo esgota a sua vida em algumas semanas; uma filosofia vive por gerações e séculos. Se você tem certeza de que está certo, não deixe que a voz do mundo, de amigos

O poder do autocontrole

ou da família o desvie do seu propósito por um momento sequer. Aceite o crescimento lento e saiba que os resultados virão, à medida que você aceitar as longas e solitárias horas da noite, com absoluta segurança de que os momentos pesados como chumbo trarão a manhã.

Vamos, enquanto indivíduos, banir a palavra "pressa" das nossas vidas. Não nos importemos tanto a ponto de pagarmos honra e respeito próprio como o preço de nos apressarmos. Vamos cultivar a calma, o repouso, o equilíbrio e a doçura, fazendo nosso melhor, suportando todas as coisas o mais corajosamente que conseguirmos; vivendo nossas vidas sem nos perturbarmos com a prosperidade dos malvados ou com a malícia dos invejosos. Não sejamos impacientes, não nos irritemos com o atraso, não nos aflijamos com os fracassos, não nos desgastemos com resultados e enfraqueçamos diante da oposição. Vamos virar nossas faces em direção ao futuro com confiança e segurança, com a calma de uma vida harmoniosa, fiel aos seus ideais e progredindo lenta e constantemente em direção à realização.

Vamos perceber a covarde palavra Pressa em todas as suas fases mais degenerativas, vamos perceber que ela sempre mata a verdade, a lealdade e a perfeição; e vamos estabelecer que, dia a dia, procuraremos mais e mais substituí-la pela calma e pelo repouso de uma vida verdadeira, nobremente vivida.

XII

O poder da influência pessoal

A única responsabilidade que o homem não pode evitar nessa vida é aquela em que ele menos pensa: sua influência pessoal. A influência consciente do homem, quando ele está desfilando com suas roupas, quando ele está se exibindo para impressionar aqueles à sua volta, é lamentavelmente pequena. Mas a sua influência involuntária, a silenciosa, as sutis emanações da sua personalidade, o efeito de suas palavras e atos, as coisas pequenas que ele nunca considera, são tremendas. Cada momento da vida muda, até um certo ponto, a vida do mundo inteiro. Todo homem tem uma atmosfera que está afetando o outro. Essa influência trabalha tão silenciosa e inconscientemente, que o homem pode esquecer que ela existe.

Todas as forças da Natureza – calor, luz, eletricidade e gravidade – são silenciosas e invisíveis. Nós nunca as vemos; somente sabemos que elas existem por ver os efeitos que elas produzem. Em toda a Natureza, as maravilhas do "vi-

O poder do autocontrole

sível" são reduzidas à insignificância, quando comparadas com a majestade e glória do "invisível".

O próprio grande sol não fornece calor e luz suficientes para sustentar a vida animal e vegetal na terra. Para quase metade da nossa luz e calor, nós dependemos das estrelas e a maior parte desse suprimento de energia vital vem de estrelas invisíveis, a milhões de quilômetros da terra. Em milhares de maneiras a Natureza constantemente busca levar os homens a uma percepção mais intensa e profunda do poder e da maravilha do invisível.

Nas mãos de cada indivíduo é colocado um poder maravilhoso para o bem ou para o mal, a silenciosa, inconsciente e invisível influência da sua vida. Isso é simplesmente a irradiação constante do que o homem realmente é, não o que ele finge ser. Todo homem, por meio da sua simples existência, está irradiando empatia, ou tristeza, ou morbidez, ou cinismo, ou felicidade, ou esperança, ou qualquer uma de uma centena de outras qualidades. A vida é um estado de constante irradiação e absorção; existir é irradiar; existir é ser um recebedor de radiações.

Existem homens e mulheres cuja presença parece irradiar raios de sol, animação e otimismo. Num momento, você se sente calmo, descansado e recuperado para uma nova e mais forte fé na humanidade. Existem outros que, num instante, concentram toda a sua desconfiança, morbidez e rebelião contra a vida. Sem saber o porquê, você se irrita e se desgasta na presença deles. Você perde sua conduta diante da vida e de seus problemas. Sua bússola moral está perturbada e inadequada. Num instante ela deixa de ser confiável, como o ponteiro magnético de um barco, que é desviado quando passa perto de uma grande montanha de minério de ferro.

Existem homens que flutuam na correnteza da vida como *icebergs*: frios, reservados, inacessíveis e contidos. Em sua presença você vai involuntariamente puxar as cobertas para próximo de si, enquanto se pergunta quem deixou a porta aberta. Esses seres humanos frios têm a maior influência depressiva naqueles que caem no feitiço da sua gelidez irradiada. Mas existem outras naturezas, calorosas, prestativas e geniais, que são como a Corrente do Golfo, seguindo seu próprio curso, fluindo resolutas e imperturbáveis no oceano de águas geladas. Sua presença traz calor, vida e o brilho dos raios de sol, a alegre e estimulante brisa da primavera.

Existem homens que são como pântanos afetados pela malária: tóxicos, deprimentes e enfraquecidos por sua própria presença. Eles tornam a atmosfera de suas próprias casas pesadas, opressivas e nebulosas; o som das brincadeiras das crianças é cessado, as ondas das risadas são congeladas por sua presença. Eles passam pela vida como se cada dia fosse um novo grande funeral e eles sempre são os principais enlutados. Existem outros homens que se parecem com o oceano: estão constantemente energizando, estimulando, distribuindo novas doses de vida vigorosa e de força por meio de sua simples presença.

O poder do autocontrole

Existem homens que são insinceros no coração e essa insinceridade é irradiada por sua presença. Eles têm um interesse enorme no seu bem-estar, quando precisam de você. Eles colocam no rosto um sorriso "rico" tão repentinamente, quando isso serve a seu propósito, que parece que o sorriso está conectado a um botão escondido em suas roupas. Sua voz têm uma cordialidade dissimulada, que com um longo treinamento faz com que seja quase natural. Mas eles nunca fazem seu papel com absoluta veracidade, a máscara cairá algumas vezes; sua inteligência não pode treinar seus olhos no olhar da honestidade real; eles podem enganar algumas pessoas, mas não podem enganar a todas. Existe um sutil poder de percepção que nos faz dizer: "Bem, eu não consigo explicar por que, mas sei que esse homem não é honesto".

O homem não pode fugir nem por um momento da irradiação do seu caráter, que constantemente enfraquece ou fortalece os outros. Ele não pode evitar a responsabilidade, dizendo que se trata de influência inconsciente. Ele pode selecionar as qualidades que permitirá que sejam irradiadas. Ele pode cultivar doçura, calma, confiança, generosidade, verdade, justiça, lealdade e nobreza, tornando-as vitalmente ativas em seu caráter. E, por meio dessas qualidades, ele constantemente afetará o mundo.

O desânimo normalmente vem para almas honestas, tentando viver o melhor que podem, com o pensamento de que estão fazendo tão pouco bem no mundo. As coisas pequenas não percebidas por nós podem ser os elos de uma corrente de um propósito maior. Em 1797, William Godwin escreveu o *The Inquirer* (O Inquiridor), uma coleção de ensaios de moral e política revolucionários. Esse livro influenciou Thomas Malthus a escrever o *Essay on Population* (Ensaio sobre a população), publicado em 1798. O livro de Malthus sugeriu a Charles Darwin um ponto de vista ao qual ele devotou muitos anos da sua vida, resultando, em 1859, na publicação do *A origem das espécies*, o livro mais influente do século 19 e que revolucionou toda a ciência. Isso são apenas três ligações de influência se estendendo por sessenta anos.

Pode ser possível rastrear essa genealogia da influência desde Godwin, através de gerações em gerações, até a palavra ou ação de algum pastor na primitiva Bretanha, vigiando o seu rebanho na montanha, vivendo a sua vida pacata e morrendo com o pensamento de que ele nada fez para ajudar o mundo.

Homens e mulheres têm deveres para com os outros, e deveres para com eles mesmos. Sendo justos conosco, deveríamos nos recusar a viver numa atmosfera que nos impede de dar o nosso melhor. Se a culpa está em nós, deveríamos controlá-la. Caso seja a influência pessoal de outros que, como um vapor tóxico, mata nossos melhores impulsos, deveríamos remover essa influência, se pudermos, sem abandonar os nossos deveres. Caso seja errado mover-nos, então deveríamos tomar fortes doses de quinina moral para neutralizar malária da influência. Não é aquilo que aqueles

O poder do autocontrole

à nossa volta fazem que importa, é o que eles são para gente. Carregamos nossas estufas de uma janela a outra para darmos a elas calor, luz, ar e umidade apropriadas. Não deveríamos ser, no mínimo, tão cuidadosos com nós mesmos?

Para fazer a nossa influência ser sentida, devemos viver a nossa fé, devemos praticar aquilo que acreditamos. Um ímã não atrai ferro, enquanto ferro. Ele primeiro deve converter o ferro em outro ímã antes que possa atraí-lo. É inútil para uma mãe tentar ensinar gentileza às suas crianças, quando ela mesma é irritada e aflita. A criança que é ensinada a dizer a verdade e escuta seus pais mentido espertamente para escapar de algum desprazer social não vai se agarrar muito zelosamente à verdade. As palavras dos pais dizem "não minta"; a influência da vida dos pais diz "minta".

Nenhum homem pode se isolar para evitar esse poder constante de influência, como nenhum corpúsculo pode se rebelar e fugir do curso ordinário do sangue. Nenhum indivíduo é tão insignificante para não exercer influência. As mudanças em nossos diferentes humores estão todas gravadas nos delicados barômetros das vidas dos outros. Nunca deveríamos deixar nossa influência filtrar-se através do amor e simpatia humanos. Por nossa simples presença, deveríamos ser uma torre de força para as almas humanas famintas à nossa volta.

XIII

A dignidade da autossuficiência

A autoconfiança, sem autossuficiência, é inútil como uma receita culinária sem os ingredientes. A autoconfiança vê as possibilidades do indivíduo; a autossuficiência as realiza. A autoconfiança vê o anjo no bloco de mármore ainda não trabalhado; a autossuficiência o esculpe.

O homem que é autossuficiente sempre diz: "Ninguém pode realizar minhas possibilidades por mim, só eu; ninguém pode me fazer bom ou mau, apenas eu mesmo". Ele trabalha a sua própria salvação, financeira, social, mental, física e moralmente. A vida é um problema individual que o homem deve resolver por si mesmo. A Natureza não aceita sacrifícios, nem serviços de segunda mão. A Natureza nunca reconhece um voto por procuração. Ela não tem nada que ver com intermediários, ela só lida com o indivíduo. A Natureza está constantemente procurando mostrar ao homem que ele é seu próprio melhor amigo ou o seu próprio

O poder do autocontrole

pior inimigo. A Natureza dá ao homem a opção do que ele será para ele mesmo.

Todos os exercícios físicos no mundo não têm valor algum para o indivíduo, a menos que ele obrigue as barras e halteres a ceder, na força e músculo, a energia pela qual ele mesmo paga com tempo e esforço. Ele nunca poderá desenvolver seus músculos ao mandar seu empregado para o ginásio.

Todos os gabinetes de remédios do mundo não têm qualquer poder, unidos em todos os esforços, para ajudar o indivíduo até que ele os busque e deles retire o que é necessário para a sua fraqueza individual.

Todas as religiões do mundo não são nada além de especulações de morais, meras teorias de salvação, até que o indivíduo perceba que ele deve se salvar confiando na lei da verdade como ele a vê e vivendo a sua vida em harmonia com essa lei, tão plenamente quanto puder. Mas a religião não é um vagão-dormitório, com assentos com almofadas macias, onde ele deve apenas pagar pela passagem, e alguma outra pessoa faz todo o resto. Na religião, como em outras coisas grandes, ele é sempre jogado de volta à sua autossuficiência. Ele deve aceitar todas as ajudas, mas deve viver a sua própria vida. Ele não deve sentir que é apenas um mero passageiro; ele é o engenheiro e o trem é a sua vida. Nós devemos confiar em nós mesmos, viver nossas próprias vidas ou simplesmente vagar pela existência, perdendo tudo que é melhor, tudo que é maior e tudo que é divino.

Tudo que os outros podem fazer por nós é nos dar oportunidade. Devemos sempre estar preparados para a oportunidade quando ela vier e correr atrás dela e achá-la quando ela não vier, ou quando a oportunidade é para nós, – a vida nada mais é do que uma sequência de oportunidades. Elas são para o bem ou mal, como nós as fazemos.

Muitos alquimistas da Antiguidade sentiram que lhes faltava apenas um elemento; acreditavam que, se pudessem obtê-lo, poderiam transformar os metais básicos em ouro puro. É o mesmo com relação ao caráter. Existem indivíduos com dons mentais raros e delicado discernimento espiritual, que falham completamente na vida porque lhes falta um elemento, a autossuficiência. Isso uniria todas as suas energias e os fariam focar na força e no poder.

O homem que não é autossuficiente é fraco, hesitante e duvida de tudo que faz. Ele tem medo de dar um passo decisivo, porque teme o fracasso, porque está esperando alguém para aconselhá-lo ou porque não ousa agir de acordo com seu melhor julgamento. Na sua covardia e presunção, ele vê todo o seu insucesso como sendo culpa dos outros. Ele "não é apreciado", "não é reconhecido" e é "reprimido." Ele sente que, de uma maneira sutil, a "sociedade está conspirando contra si". Ele cresce quase em vão enquanto pensa que ninguém tem tamanha pobreza, tais lamentos, tanta aflição e tamanho fracasso como os que o atingiram.

O homem que é autossuficiente procura sempre descobrir e conquistar suas fraquezas interiores que o impedem

O poder do autocontrole

de alcançar o que ele mais quer; ele procura dentro dele o poder para lutar contra todas as influências externas. Ele sabe que todos os grandes homens da história, em toda fase do esforço humano, foram aqueles que tiveram que lutar contra as probabilidades de doenças, de sofrimento e de tristeza. Para ele, a derrota não é mais do que passar por um túnel; ele sabe que surgirá novamente na luz do sol.

A nação mais forte é aquela que é mais autossuficiente, que contém dentro de suas fronteiras tudo de que seu povo necessita. Se, com seus portos totalmente fechados, não possui dentro dela o essencial para a vida e os elementos para seu progresso contínuo, é fraca, dominada por seus inimigos e será apenas uma questão de tempo até que se renda. Sua independência vem na proporção de sua autossuficiência, do poder de se sustentar internamente. O que é verdade para as nações, é verdade para os indivíduos. A história das nação não é mais do que a biografia dos indivíduos aumentada, intensificada, multiplicada e projetada na tela do passado. A História é a biografia de uma nação; a biografia é a história de um indivíduo. Assim deve ser para que o indivíduo que é o mais forte em qualquer desafio, tristeza ou necessidade seja aquele que possa viver da sua própria força, que não precisa de nenhum tablado da simpatia para erguê-lo. Ele deve sempre ser autossuficiente.

A riqueza e a prosperidade da Roma antiga, apoiada em seus escravos para fazer o real trabalho da nação, causaram a queda da nação. A constante dependência dos prisioneiros de guerra para cuidar dos milhares detalhes da vida, matou a autossuficiência na nação e no indivíduo. Assim, por meio do enfraquecimento da autossuficiência e da aumentada oportunidade para a ociosidade, da luxúria fácil que veio com ela, Roma, a nação dos guerreiros, tornou-se, a nação de homens mais afeminados do que as mulheres. Ao depender dos outros para fazer aquelas coisas que nós deveríamos fazer, nossa autossuficiência e nossos poderes se enfraquecem, e nosso controle sobre eles se torna cada vez menor.

O homem para ser grande deve ser autossuficiente. Embora ele possa não ser assim em todas as coisas, ele deve ser autossuficiente naquilo que poderia ser excelente. Essa autossuficiência não é a autossuficiência da presunção. É ousar ficar de pé sozinho. Ser um carvalho, e não uma trepadeira. Estar pronto para dar apoio, mas não o desejar; para não ficar dependente dele. Para desenvolver sua verdadeira autossuficiência, você deve ver desde o começo que a vida é uma batalha na qual você deve lutar por si mesmo; você deve ser seu próprio soldado. Você não pode comprar um substituto, não pode ter uma trégua, você não pode nunca ser colocado na lista dos fora de combate. A lista dos fora de combate da vida é a morte. O mundo está ocupado com seus próprios problemas, tristezas e alegrias, e presta pouca atenção em você. Existe uma única grande chave para o sucesso: a autossuficiência.

O poder do autocontrole

Se você quiser aprender a conversar, se coloque em posições nas quais deva falar. Se você quiser dominar a sua morbidez, misture-se com as pessoas alegres a sua volta, não importa o quão difícil possa ser. Se você deseja o poder que outra pessoa possui, não inveje a força dela, nem gaste sua energia com o desejo que aquela força seja sua. Imite o processo pelo qual ela chegou a isso, dependa da sua autossuficiência, pague o preço por isso, e um poder igual poderá ser seu. O indivíduo deve olhar para si mesmo como um investimento de possibilidades incontáveis, se corretamente desenvolvido – uma mina cujos recursos nunca podem ser conhecidos, a não ser descendo nela e revelando o que está escondido.

O homem pode desenvolver sua autossuficiência buscando constantemente se superar. Tentamos demais superar os outros. Se sempre tentarmos nos superar, estaremos nos movendo em uma linha uniforme de progresso, que dá uma harmonia unificadora para o nosso crescimento em todos os sentidos. Daniel Morrell, Presidente da Cambria Rail Works, que empregou sete mil homens e construiu trilhos famosos por todo o mundo, uma vez foi perguntado sobre o segredo do grande sucesso do seu trabalho. "Não temos nenhum segredo", ele disse, "exceto que nós sempre tentamos superar o nosso último lote de trilhos." A competição é boa, mas tem o seu lado perigoso. Existe uma tendência de sacrificar o valor real pela mera aparência, de ter a aparência, em vez da realidade. Mas a verdadeira competição é a competição do indivíduo com ele mesmo, o seu presente tentando superar o seu passado. Isso representa crescimento interior real. A autossuficiência se desenvolve e desenvolve mais autossuficiência. Que o indivíduo se sinta assim pelo seu próprio progresso e possibilidades, e que possa criar a sua vida como quiser. Que ele nunca caia em desespero diante de perigos e tristezas distantes; eles podem ser inofensivos como os leões de pedra de Bunyan, quando estiver próximo deles.

O homem que é autossuficiente não vive nas sombras da grandeza de outra pessoa; ele pensa por si mesmo, depende de si mesmo e age para si mesmo. Ao se debruçar sobre si mesmo, o indivíduo não está fechando os olhos para os estímulos e luz, nem para uma vida nova que vem do caloroso aperto de uma mão, da palavra gentil e das expressões sinceras de uma amizade verdadeira. Mas a amizade verdadeira é rara; seu grande valor está numa crise, como um bote salva-vidas. Muitos amigos exaltados provaram ser um "bote salva-vidas" sem valor, quando a tempestade da adversidade poderia torná-los úteis. Nessas grandes crises da vida, o homem só é forte enquanto for forte por dentro e, quanto mais ele depender dele mesmo, ele se tornará mais forte e mais capaz para ajudar os outros nas suas horas de necessidade. Sua própria vida será uma ajuda e força constantes para os outros, conforme se torna para eles uma lição viva da dignidade da autossuficiência.

XIV

O fracasso como sucesso

Muitas vezes é preciso coragem heroica para encarar esforços infrutíferos, para recolher as correntes quebradas de uma vida de trabalho, para olhar bravamente na direção do futuro e prosseguir resolutamente no nosso caminho. Mas aquilo que para os nossos olhos pode parecer um fracasso desesperador, normalmente, é apenas a aurora de um grande sucesso. Pode conter nos seus destroços os alicerces materiais de um propósito poderoso ou a revelação de novas e mais altas possibilidades.

Há alguns anos, foi proposto mandar toras de madeiras do Canadá para Nova York, por um novo método. O engenhoso plano do Sr. Joggins foi de unir grandes toras com cabos e estacas de ferro e rebocar a carga como uma barcaça. Quando o novo artefato se aproximou de Nova York e o sucesso parecia garantido, começou uma grande tempestade. Na fúria dessa tempestade, as faixas de ferro se quebraram como se fossem de gelo e as águas revoltas espa-

O poder do autocontrole

lharam as toras para longe e por uma grande área. O chefe do Departamento Hidrográfico de Washington soube da falha do experimento e logo comunicou os navegadores do mundo inteiro, alertando-os para procurar cuidadosamente pelas toras que ele descreveu e a anotar a localização precisa de cada latitude e longitude e o horário em que a observação foi feita. Centenas de capitães, navegando sobre as águas, noticiaram as toras, no oceano Atlântico, no Mediterrâneo e nos Mares do Sul – pois esses audazes viajavam por todos os mares. Centenas de relatos foram feitos, cobrindo um período de semanas e de meses. Essas observações foram cuidadosamente coletadas, sistematizadas e tabuladas, e foram feitas descobertas sobre os cursos das correntezas do oceano que, de outra forma, teriam sido impossíveis. A perda da barcaça de Joggins não foi um verdadeiro fracasso, pois tornou-se uma das grandes descobertas da moderna geografia e navegação marítimas.

Em nosso conhecimento superior nós estamos preparados para falar, num tom condescendente, dos loucos alquimistas da Antiguidade. Mas o fracasso deles em transmutar metais básicos em ouro resultou no nascimento da química. Eles não tiveram sucesso no que tentaram, mas trouxeram à tona o processo natural da sublimação, filtração, destilação e cristalização; eles inventaram o alambique, a retorta, o saco de areia, o banho-maria de uso laboratorial e outros instrumentos valiosos. A eles são atribuídas a descoberta do antimônio, do éter sulfúrico e do fósforo, a copelação do ouro e da prata, a determinação das propriedades do salitre e seu uso na pólvora e a descoberta da destilação de óleos essenciais. Esse foi o sucesso do fracasso deles, um maravilhoso processo da Natureza para o mais alto crescimento, a poderosa lição do conforto, força e encorajamento, se ao menos o homem a percebesse e a aceitasse.

Muitos dos nossos fracassos nos arrastam para sucessos mais elevados pelos quais jamais esperamos, mesmo nos nossos sonhos mais loucos. A vida é um sucessivo desdobramento de sucesso vindo do fracasso. Ao descobrir a América, Colombo fracassou totalmente. Sua genial lógica e experimento o levou a acreditar que estava viajando para Oeste, caminho em que alcançaria as Índias. Cada homem vermelho na América leva, em seu nome, "Índio", a perpetuação da memória do fracasso de Colombo. O navegador genovês não alcançou as Índias; a carga de "souvenirs" que ele levou de volta para a Espanha para mostrar a Ferdinando e Isabella como prova de seu sucesso realmente atestava o seu fracasso. Mas a descoberta da América foi um sucesso muito maior do que qualquer descoberta de uma "porta dos fundos" para as Índias.

Quando David Livingstone complementou sua educação teológica com um curso de medicina, ele estava pronto para atuar como missionário. Por três anos ele estudou incansavelmente, com todas as energias concentradas num único objetivo: difundir o Evangelho na China. A hora chegou quando ele estava pronto para começar

O poder do autocontrole

com um entusiasmo nobre pelo trabalho que escolhera, para consagrar a si mesmo e à sua vida para a sua ambição altruísta. Foi quando, então, chegou a notícia da China de que a "guerra do ópio" tornara uma idiotice tentar entrar no país. O desapontamento e o fracasso não o intimidaram por muito tempo; ele se ofereceu como missionário para África, e foi aceito. Seu grande fracasso de alcançar a China abriu um continente inteiro para a luz e a verdade. Seus estudos provaram uma preparação ideal para o seu trabalho como médico, explorador, professor e evangelizador nas selvas da África.

As reviravoltas dos negócios e o fracasso do seu parceiro jogaram em cima dos ombros largos e da honra e honestidade ainda maiores do Sr. Walter Scott um fardo de responsabilidade que o forçou a escrever. O fracasso o estimulou a um esforço quase sobre-humano. As obras-primas de ficção histórica de Scott que excitaram, entretiveram e animaram milhões de seus contemporâneos são um monumento glorioso na área dos fracasso aparentes.

Quando Millet, o pintor do "Angelus", trabalhou na sua quase divina tela, na qual até o ar parece pulsar com a essência regeneradora da reverência espiritual, ele estava pintando contra o tempo, administrando um antídoto para a sua tristeza e correndo contra a morte. Seus golpes de pincéis lançados nas primeiras horas da manhã, antes de ir para seus deveres de lacaio como carregador de bagagens da ferrovia, no amanhecer como aquele perpetuado em sua tela, representaram força, comida e remédio para sua esposa moribunda, que ele adorava. O fracasso nas artes que o levaram até as profundezas da pobreza unificaram com maravilhosa intensidade todos os mais refinados elementos da sua natureza. Essa rara união espiritual, essa purgação de toda a impureza da trivialidade, conforme ele passava pelas fornalhas da pobreza, do desafio e da tristeza, deram eloquência ao seu pincel e permitiram que ele pintasse como nunca, como nenhuma prosperidade teria possibilitado.

O fracasso costuma ser o momento decisivo, o pivô da circunstância que nos ergue até os níveis mais altos. Pode não ser um sucesso financeiro, pode não ser fama; podem ser novos goles de inspiração espiritual, moral ou mental que nos mudarão por todos os últimos anos das nossas vidas. A vida não é realmente o que vem até nós, mas o que nós obtemos dela.

Se o homem teve riqueza ou pobreza, fracasso ou sucesso, pouco conta quando isso é passado. Existe apenas uma questão para ele responder, para enfrentar corajosa e honestamente como um indivíduo sozinho com sua consciência e seu destino:

"Como deixarei aquela pobreza ou riqueza me afetar? Se esse desafio ou privação me deixou melhor, mais verdadeiro, mais nobre, então, a pobreza terá sido riqueza, o fracassos terá sido sucesso. Se a riqueza chegar até mim e me deixar orgulhoso, arrogante, insolente, cruel e cínico, encerrando, para mim, todas a ternura da vida, todos os canais de

O poder do autocontrole

desenvolvimento elevado, de possível bem para meus contemporâneos, me fazendo um mero guardião de uma bolsa de dinheiro, então a riqueza mentiu para mim. Ela tem sido um fracasso, não um sucesso; não tem sido riqueza, tem sido uma obscura e traiçoeira pobreza, que roubou de mim até Eu mesmo". Assim, todas as coisas se tornam para nós o que tiramos delas.

O fracasso é um dos educadores de Deus. É experiente em guiar o homem para coisas mais elevadas; é a revelação de um caminho, um caminho até então desconhecido para nós. Os melhores homens no mundo, aqueles que tiveram o maior sucesso real, olham para trás com serena felicidade para os seus fracassos. As viradas da face do Tempo mostram todas as coisas numa perspectiva maravilhosamente iluminada e satisfatória.

Muitos dos homens são atualmente gratos que algum pequeno sucesso pelo qual ele uma vez lutou, se desmanchou no ar enquanto sua mão tentava agarrá-lo. O fracasso é normalmente a pedra fundamental do sucesso verdadeiro. Se o homem, em algumas instâncias da sua vida, pode dizer: "Aqueles fracassos foram as melhores coisas no mundo que poderiam ter acontecido comigo", ele não deveria enfrentar novos fracassos com uma coragem bravia e confiar que o milagroso ministério da Natureza pode transformar esses obstáculos em degraus?

As nossas maiores expectativas costumam ser destruídas para nos preparar para coisas melhores. O fracasso da lagarta é o nascimento da borboleta; a morte de um botão é a transformação da rosa; a morte ou destruição da semente é o prelúdio da sua ressurreição como trigo. É durante a noite, nas horas mais escuras, aquelas que antecedem o amanhecer, que as plantas crescem melhor, que mais aumentam em tamanho. Isso não pode ser uma das gentis amostras da Natureza para o homem, dos tempos em que ele cresce melhor, da escuridão do fracasso que está evoluindo para raios do sol do sucesso? Vamos temer apenas o fracasso de não viver o certo como nós o vemos, deixando os resultados na responsabilidade do guardião do Infinito.

Se pensarmos em qualquer momento supremo de nossas vidas, em qualquer grande sucesso, em alguém que seja querido por nós e considerar como chegamos àquele momento, àquele sucesso, àquele amigo, seremos surpreendidos e fortalecidos pela revelação. À medida que investigamos o passado de cada uma dessas coisas, passo a passo, através da genealogia das circunstâncias, veremos como tem sido lógico o percurso da nossa alegria e sucesso a partir da tristeza e fracasso, e que aquilo que nos dá mais felicidade atualmente está intrinsecamente conectado com aquilo que uma vez nos causou tristeza. Muitos dos rios da nossa grande prosperidade e crescimento tiveram o aumento de volume de suas nascentes e de seu gotejar entre a escuridão e os melancólicos intervalos dos nossos fracassos.

Não há trabalho honesto e verdadeiro, cumprido com constante e sincero propósito, que realmente falhe. Se por

O poder do autocontrole

vezes parece ser um esforço desperdiçado, ele nos trará uma nova lição de "como" andar; o segredo dos nossos fracassos nos trará a inspiração para possíveis sucessos. Os homens vivendo com objetivos mais elevados, sempre da melhor forma que podem, em constante harmonia com eles, são bem-sucedidos, não importa quantas estatísticas de fracasso sejam deixadas à sua porta por um mundo de críticos e comentaristas míopes e meio cegos.

Ideais elevados e nobres esforços farão de fracassos aparentes, coisas pequenas, eles não precisam nos desencorajar; eles devem fornecer fontes de novas forças. O caminho pedregoso pode ter mais segurança do que o caminho escorregadio da suavidade. Os pássaros só podem voar melhor com o vento contra eles; os navios não avançam na calmaria, quando as velas batem preguiçosamente contra mastros sem tensão.

A alquimia da Natureza, superior àquela do Paracelso, constantemente transmuta os metais básicos do fracasso, ao final, no ouro puro do sucesso mais elevado, se a mente do trabalhador se mantiver verdadeira, constante e incansável no serviço, e se ele tiver a sublime coragem que desafia o pior do destino enquanto faz o seu melhor.

XV

Fazendo nosso melhor sempre

A vida é um maravilhoso problema complexo para o indivíduo, até que um dia, num momento de iluminação, ele acorda para a grande realização que pode torná-la simples – nunca tão simples, mas sempre mais simples. Existem milhares de mistérios sobre o certo e o errado que confundem os homens sábios por eras. Existem profundezas na grande questão fundamental da raça humana que nenhuma linha da filosofia jamais tocou. Existem gritos selvagens de fome honesta por verdade, que procuram penetrar o silêncio além do túmulo, mas eles apenas ecoam de volta, somente uma repetição de gritos não respondidos.

Para nós todos, às vezes surge a grande nota de desespero questionador que escurece nosso horizonte e paralisa nossos esforços:

"Se realmente existe um Deus, se a justiça eterna realmente governa o mundo", nós dizemos, "por que a vida tem que ser como é? Por que alguns homens passam fome en-

O poder do autocontrole

quanto outros se banqueteiam; por que a virtude normalmente perde vigor nas sombras, enquanto o vício triunfa ao sol; por que o fracasso na maioria das vezes persegue os passos do esforço honesto, enquanto o sucesso que vem de trapaças e de desonra é saudado com o aplauso do mundo? Como que o amado pai de família é levado pela morte, enquanto o fardo inútil de um outro é poupado? Por que existe tanta dor desnecessária, tristeza e sofrimento no mundo – por que, na verdade, precisaria existir alguma?".

Nem a filosofia, nem a religião podem dar nenhuma resposta definitiva, que seja capaz de uma demonstração lógica e de prova absoluta. Existe sempre, mesmo após as melhores explicações, um resquício do inexplicável. Devemos então cair nos eternos braços da fé e sermos sábios o suficiente para dizer: "Não serei confundido por esses problemas da vida, eu não permitirei que eles me lancem na dúvida e ofusquem a minha vida com imprecisão e incerteza. O homem reivindica muito para si mesmo quando exige do infinito a solução completa de todos os Seus mistérios. Eu fundarei a minha vida em uma simples verdade fundamental: 'Esta gloriosa criação com seus milhões de fenômenos maravilhosos pulsando sempre em harmonia com a lei eterna tem que ter um Criador, esse Criador tem que ser onisciente e onipotente. Mas esse Criador em si mesmo não pode, por justiça, exigir de nenhuma criatura mais do que o melhor que aquele indivíduo possa dar'. Eu vou fazer a cada dia, em todo momento, o melhor que eu possa por meio da luz que eu tenho; vou sempre procurar mais luz, mais iluminação perfeita da verdade, e sempre viver como melhor puder em harmonia com a verdade como eu a vejo. Se o fracasso vier eu vou enfrentá-lo corajosamente; se meu caminho então repousar na sombra do desafio, tristeza e sofrimento, eu terei a paz tranquila e a força calma de alguém que fez o seu melhor, que pode olhar para o seu passado sem a aflição do arrependimento, e que tem uma coragem heroica para enfrentar os resultados, quaisquer que sejam, sabendo que não poderia tê-los feito diferentes".

Com base nesse plano de vida, nesse fundamento, o homem pode erguer qualquer superestrutura de religião ou de filosofia que ele consiga, conscienciosamente. ; ele deve adicionar às suas aptidões para viver cada fragmento de sua força e inspiração, moral, mental ou espiritual, que está em seu poder obter.

Essa simples fé não se opõe a nenhuma crença e não é substituta para nenhuma delas; mas é apenas um credo primário, uma cidadela, um refúgio onde o indivíduo pode se recolher para se fortalecer, quando a batalha da vida se torna dura.

Uma simples teoria de vida, que continua a ser apenas uma teoria, é tão útil para um homem quanto um menu sofisticado para um marinheiro faminto numa jangada no meio do oceano. É irritante, e não estimulante. Nenhuma regra para uma vida mais elevada ajudará o homem por menor que seja, até que ele estenda a mão e se aproprie dela,

O poder do autocontrole

até que ele a torne prática em sua vida diária, até que essa semente de teoria na sua mente floresça em milhares de flores de pensamento, de palavras e de atos.

Se um homem procura honestamente viver o seu melhor todo o tempo, essa determinação é visível em todos os momentos da sua existência e nenhum detalhe em sua vida pode ser tão insignificante para refletir os seus princípios de vida. O sol ilumina e embeleza uma folha caída na beira da estrada tão imparcialmente quanto um imponente pico de montanha nos Alpes. Cada gota de água no oceano é um resumo da química do oceano inteiro; cada gota está sujeita precisamente às mesmas leis que domina a infinidade de bilhões de gotas unidas que fazem este milagre da Natureza, que os homens chamam de Mar. Não importa quão humilde seja o chamado do indivíduo, quão desinteressantes e maçantes os turnos das suas obrigações, ele deve fazer o seu melhor. Ele deve dignificar o que está fazendo por meio da atenção que dedica a isso, ele deve revitalizar o pouco que tem de poder ou de energia ou de habilidade ou de oportunidade, para preparar a si mesmo para estar à altura dos altos privilégios quando esses chegarem. Isso nunca guiará o homem ao fraco contentamento que é satisfeito com qualquer coisa que caia na sua sorte. Ele preferirá, em vez disso, encher a sua mente com aquele descontentamento divino que alegremente aceita o melhor – apenas como um substituto temporário para algo muito melhor.

O homem que está sempre procurando fazer o seu melhor é o homem que está interessado, ativo, desperto e agressivo. Ele é sempre cuidadoso com ele mesmo em coisas sem importância; seu padrão não é "O que o mundo dirá?", mas "Isso tem valor para mim?".

Edwin Booth, um dos maiores atores do teatro americano, nunca se permitiria tomar uma atitude deselegante, mesmo nas suas horas de privacidade. Nessa coisa simples, ele sempre viveu seu melhor. Nos palcos cada movimento era de uma elegância inconsciente. Aqueles da sua companhia que eram cientes de seus movimentos eram os deselegantes, que estavam buscando em público desfazer ou ocultar sua falta de cuidado dos gestos e movimentos de sua vida privada. O homem que é descuidado e despreocupado com a sua fala diária, cujo vocabulário é uma coleção de obviedades anêmicas, cujas repetições de palavras e extravagância de interjeições atuam apenas como débeis disfarces para sua falta de ideias, nunca será brilhante na ocasião em que desejar ofuscar as estrelas. Viver o seu melhor é a preparação constante para uso imediato. Isso nunca fará que alguém seja excessivamente preciso, autoconsciente, afetado ou pretensioso. A educação, no seu sentido mais elevado, é o treino consciente da mente ou do corpo para agir inconscientemente. É a formação consciente de hábitos mentais, e não a mera aquisição de informação.

Uma das várias formas nas quais o indivíduo desinteligentemente se ofusca a si mesmo é na sua adoração ao

O poder do autocontrole

fetiche da sorte. Ele sente que todos os outros são sortudos e que tudo que ele tenta, falha. Ele não percebe a energia incansável, a concentração incessante, a coragem heroica, a sublime paciência que é o segredo do sucesso de alguns homens. A "sorte" deles foi que se prepararam para estarem à altura da oportunidade quando ela chegasse e estavam prontos para reconhecê-la e recebê-la. A sua própria oportunidade veio e partiu sem ser notada; não conseguiu acordá-lo dos seus sonhos sobre alguma riqueza desconhecida que cairia no seu colo. Assim, ele cresce desencorajado e inveja aqueles que devia imitar e coloca ataduras em seus braços e entorpece suas energias, faz seus trabalhos de uma forma perfunctória ou passa pela vida apenas "testando" linhas de atividade.

O honesto, fiel lutador, deve sempre perceber que o fracasso não é nada além de um episódio na vida de um homem de verdade – nunca a história toda. Isso nunca é fácil de alcançar, e nenhuma filosofia pode fazer isso, porém a coragem firme para dominar as condições, ao invés de reclamar delas, o ajudará em seu caminho; isso sempre o capacitará a fazer o seu melhor com o que tiver. Ele nunca sabe a longa série de fracassos vencidos que dão solidez ao sucesso de outra pessoa; ele não percebe o preço que um homem rico, o inocente grupo de políticos descontentes e demagogos, heroicamente pagou por riqueza e posição.

O homem que tem dúvidas pessimistas sobre todas as coisas; que exige uma garantia certificada do seu futuro;

que sempre teme que seu trabalho não será reconhecido ou apreciado; ou que, enfim, ele não vale a pena, nunca viverá o melhor. Ele está entorpecendo sua capacidade de progresso real com seu curso hipnótico de desculpas para a inatividade, em vez de uma forte tônica de razões para a ação.

Um dos elementos mais enfraquecedores na formação individual é a rendição ao passar dos anos. A autoconfiança de um homem diminui e morre diante do medo da idade. "Esse novo pensamento", ele fala de alguma sugestão tendendo para um desenvolvimento mais elevado, "é bom; é o que precisamos. Eu estou feliz que meus filhos tenham isso; eu teria sido feliz se tivesse tido alguma ajuda quando estava na escola, mas já é muito tarde para mim. Sou um homem de idade avançada."

Isso não é nada mais do que fechar a vida cegamente para as maravilhosas possibilidades. O soar do sino da oportunidade perdida nunca é tocado nesta vida. Nunca é tarde demais para reconhecer a verdade e viver por ela. Isso requer somente grande esforço, bastante atenção, profunda concentração; mas o impossível não existe para o homem que é autossuficiente e está disposto a pagar o preço em tempo e em luta por seu sucesso ou desenvolvimento. Mais tarde na vida, os pagamentos são mais pesados conforme se avança, como num seguro de vida, mas isso não importa para aquela poderosa autossuficiência que não vai envelhecer enquanto o conhecimento puder mantê-la jovem.

O poder do autocontrole

Sócrates, quando seu cabelo embranqueceu com a neve da velhice, aprendeu a tocar instrumentos musicais. Cato, aos 80 anos, começou a estudar grego, e com a mesma idade viu Plutarco iniciar, com o entusiasmo de um menino, a sua primeira lição de latim. *The Character of Man* (O caráter do homem), o maior trabalho de Teofrasto, foi iniciado no seu nonagésimo aniversário. *The Canterbury Tales* (Os contos de Cantuária), de Chaucer, foi o trabalho de um poeta em seus anos de declínio. Ronsard, o pai da poesia francesa, cujos sonetos nem a tradução pode destruir, não desenvolveu sua habilidade poética antes de estar próximo dos 50 anos. Benjamin Franklin, nessa idade, tinha acabado de dar seus primeiros passos de importância em sua busca filosófica. Arnauld, teólogo e sábio, traduziu Josefo no seu octogésimo ano. Winckelmann, um dos mais famosos escritores sobre antiguidades clássicas, era filho de um sapateiro e viveu em obscuridade e ignorância até a idade adulta. Hobbes, o filósofo inglês, publicou sua versão de *Odisseia* no seu 87º ano e sua *Ilíada*, um ano depois. Chevreul, o grande cientista francês, cujos incansáveis trabalhos sobre os reinos das cores enriqueceu tanto o mundo, estava ocupado, interessado e ativo quando a Morte o chamou, aos 103 anos de idade.

Esses homens não temeram a idade; esses poucos nomes da grande lista dos famosos que desafiaram os anos devem ser vozes de esperança e encorajamento para todos os indivíduos cuja coragem e confiança sejam fracas. O caminho da verdade, da vida mais elevada, do mais verdadeiro desenvolvimento em toda a fase da vida, nunca está fechado para o indivíduo – até que ele mesmo o feche. Que o homem sinta isso, acredite nisso e faça dessa fé um fator real e vivo em sua vida, e não existem limites para o seu progresso. Ele tem apenas que viver o seu melhor todo o tempo e descansar calmamente e sem perturbações, não importa quais resultados venham dos seus esforços. O constante olhar para trás para o que poderia ter sido, ao invés de para a frente para poder ser, é o grande enfraquecedor da autoconfiança. Essa preocupação com o velho passado, essa energia desperdiçada, a qual nenhum poder no mundo pode restaurar, sempre diminui a fé do indivíduo em si mesmo, enfraquece seus esforços para se desenvolver para o futuro, para a perfeição de suas possibilidades.

A Natureza, em seu belo amor e ternura, fala para o homem, enfraquecido, desgastado e cansado com a luta: "Faça da melhor forma que puder o pouco que está sobre sua mão nesse momento; faça com o melhor espírito de preparação para o futuro que seu pensamento sugere; traga toda a luz do conhecimento de todo o passado para lhe ajudar". Faça isso e você terá feito o seu melhor. O passado está fechado para você para sempre. Ficará fechado para sempre.

Nenhuma preocupação, nenhuma luta, nenhum sofrimento, nenhuma agonia de desespero podem alterá-lo. Está tão além do seu poder como se estivesse a milhões de anos da eternidade atrás de você. Transforme todo aquele passado, com suas horas tristes, fraquezas e pecados, suas oportunida-

O poder do autocontrole

des desperdiçadas como luz, em confiança e esperança para o futuro. Transforme isso tudo na mais completa verdade e luz para fazer cada pequeno detalhe deste presente um novo passado e será uma alegria olhar para trás para vê-lo; cada pequeno detalhe, uma preparação mais extraordinária, mais nobre e mais perfeita para o futuro. O presente e o futuro que você pode fazer disso serão seus; o passado voltou, com todas as suas mensagens, toda a sua história, todos os seus registros para o Deus que lhe emprestou os momentos de ouro para usar em obediência à Sua lei.

XVI

O caminho real para a felicidade

"Durante toda a minha vida eu não tive vinte e quatro horas de felicidade." Assim disse o Príncipe Bismarck, um dos maiores estadistas do século 19. Oitenta e três anos de riqueza, de fama, de honras, de poder, de influência, de prosperidade e de triunfo – anos nos quais ele sustentou um império em seus dedos – mas nenhum dia de felicidade!

A felicidade é o grande paradoxo na Natureza. Pode crescer em qualquer solo, viver sob quaisquer condições. Ela desafia o ambiente. Vem de dentro; é a revelação das profundezas da vida interior, como a luz e o calor proclamam o sol que os irradia. A felicidade consiste não em ter, mas em ser; não possuir, mas usufruir. É o brilho caloroso de um coração em paz com ele mesmo. Um mártir na fogueira pode ter a felicidade que um rei em seu trono pode invejar. O homem é o criador da sua própria felicidade; é o aroma da vida vivida em harmonia com ideais elevados. Para o que um homem possui, ele pode depender dos ou-

O poder do autocontrole

tros; pelo que ele é, permanece apenas com ele. O que ele obtém na vida não é nada além de aquisição; o que ele alcança, é crescimento. A felicidade é a alma da alegria na posse do intangível. Absoluta, perfeita e contínua felicidade na vida, é impossível para a humanidade. Ela representaria a consumação de realizações, a consciência individual de um destino perfeitamente preenchido. A felicidade é paradoxal porque ela pode coexistir com o desafio, a tristeza e a pobreza. É a alegria do coração se elevando acima de qualquer condição.

A felicidade tem vários substitutos – gratificação, satisfação, contentamento e prazer – imitações inteligentes que simulam mais a sua aparência, do que imitam o seu método. A gratificação é a harmonia entre nossos desejos e nossas posses. Ela está sempre incompleta, é a aceitação grata de uma parte. É a satisfação mental na qualidade do que alguém recebe, uma insatisfação quanto à quantidade. Ela pode ser um elemento na felicidade, mas, na verdade, - não é felicidade.

A satisfação é a identidade perfeita dos nossos desejos e das nossas posses. Ela existe somente enquanto essa perfeita união e unidade possam ser preservadas. Mas cada ideal realizado dá luz a novas ideias, cada passo para a frente revela grandes domínios dos não alcançados; cada refeição estimula novos apetites – assim, os desejos e as possessões não mais são idênticos, não mais iguais; novas vontades fazem surgir novas atividades, a distribuição equilibrada é destruída e a insatisfação retorna. O homem pode possuir tudo que for tangível no mundo e, ainda assim, não ser feliz, pois a felicidade é a satisfação da alma, e não da mente, nem do corpo. A insatisfação, num sentido mais elevado, é o tema central de todo o avanço, a evidência de novas aspirações e a garantia de uma revelação progressiva de novas possibilidades.

O contentamento é uma virtude grandemente superestimada. É um tipo de desespero diluído; é o sentimento com o qual continuamos a aceitar substitutos, sem nos esforçar pelas realidades. O contentamento faz um indivíduo treinado engolir o vinagre e tentar estalar seus lábios como se fosse vinho. O contentamento permite que alguém aqueça sua mão no fogo de uma felicidade passada que existe somente na memória. O contentamento é o clorofórmio que esvazia as atividades do indivíduo para se elevar a planos mais elevados da vida e do crescimento. O homem nunca deveria se contentar com nada além do que seus melhores esforços que a sua natureza pode eventualmente assegurar para ele. O contentamento faz o mundo mais confortável para o indivíduo, mas é o soar do sino da morte do progresso. O homem deve se contentar com cada passo do progresso apenas como uma estação, descontente com ele como um destino; contente com isso como um passo; descontente com isso como uma finalidade. Existem momentos quando o homem deve se contentar com o que ele tem, mas nunca com o que ele é.

O poder do autocontrole

Mas o contentamento não é felicidade; nem prazer. O prazer é temporário, a felicidade é contínua; o prazer é uma nota; a felicidade é uma sinfonia; o prazer pode existir quando a consciência interior protesta; a felicidade nunca. O prazer pode ter seus sedimentos e as suas borras; mas nada disso pode ser encontrado na taça da felicidade.

O homem é o único animal que pode ser realmente feliz. Para o resto da criação só restam fracas imitações de felicidade. A felicidade representa uma sintonização pacífica da vida com os padrões da vida. Ela nunca pode ser feita pelo indivíduo, por si mesmo, para si mesmo. Ela é um subproduto acidental de uma vida altruísta. Nenhum homem pode fazer da sua própria felicidade o único objetivo da sua vida e alcançá-lo, da mesma forma que ele não pode pular na margem mais distante da sua sombra. Se você quiser acertar no alvo da felicidade, mire acima dela. Coloque outras coisas acima da sua felicidade e com certeza ela virá até você. Você pode comprar prazer, você pode adquirir contentamento, você pode ficar satisfeito, mas a Natureza nunca coloca a verdadeira felicidade no balcão da pechincha. Ela é o acompanhamento indissociável da verdadeira vida. Ela é calma e pacífica; nunca vive numa atmosfera de preocupação ou luta sem esperança.

A base da felicidade é o amor por alguma coisa fora de si mesmo. Procure cada instância de felicidade no mundo e você achará, quando todos os aspectos incidentais forem eliminados, sempre terá o constante e imutável elemento do amor – o amor dos pais pelo filho; o amor de um homem e uma mulher um pelo outro; o amor pela humanidade de alguma forma, ou uma grande vida de trabalho, na qual o indivíduo despeja todas as suas energias.

A felicidade é a voz do otimismo, da fé, do simples e firme amor. Nenhum cínico ou pessimista pode ser verdadeiramente feliz. Um cínico é um homem que é moralmente míope, e se gaba disso. Ele vê o mal no seu próprio coração e pensa que o vê no mundo. Ele deixa um cisco em seu olho ofuscar o sol. Um cínico incurável é um indivíduo que deveria desejar a morte, porque se a sua vida não pode lhe trazer felicidade, a morte poderia. O ponto-chave da falta de felicidade de Bismarck foi sua profunda desconfiança na natureza humana.

Existe um caminho real para a felicidade; ela repousa na Consagração, Concentração, Conquista e Consciência.

A consagração é dedicar a vida ao serviço aos outros, em alguma nobre missão, para realizar algum ideal altruísta. A vida não é algo para ser vivida de passagem; é algo para ser comemorado. Ela é um privilégio, não uma sentença de servidão por várias décadas na terra. A consagração coloca o objetivo da vida acima da mera obtenção de dinheiro, como uma finalidade. O homem que é altruísta, gentil, amável, terno, solícito e pronto para aliviar as provações daqueles à sua volta, para animar aqueles que lutam e, algumas vezes, para esquecer de si mesmo e lembrar dos outros, está no caminho certo para a felicidade. A Consagração é sempre

O poder do autocontrole

ativa, ousada e agressiva, não temendo nada além da possível deslealdade aos ideais elevados.

A Concentração faz a vida do indivíduo mais simples e profunda. Ela corta as falsidades e falsas aparências da vida moderna e limita a vida a seu verdadeiro essencial. Preocupação, medo, inútil arrependimento – todos esses desperdícios que sugam a energia mental, moral ou física – devem ser sacrificados ou o indivíduo destruirá desnecessariamente, a metade das possibilidades de viver. Um grande propósito na vida, que às vezes une as cordas e os fios de cada pensamento diário, que às vezes tira o ferrão dos pequenos desafios, tristezas, sofrimentos e embaraços da vida, é uma grande ajuda para a Concentração. Soldados em batalha podem se esquecer dos seus ferimentos ou até mesmo não estar conscientes deles, pela inspiração de lutar por aquilo que acreditam que seja certo. A concentração dignifica uma vida humilde; gera uma vida ótima, sublime. Na moral, é um atalho para a simplicidade. Ela guia para o certo, para o benefício do certo, sem pensar em política ou em prêmio. Ela traz calma e descanso para o indivíduo, a serenidade que não é nada além do raio de sol da felicidade.

A conquista é a superação de um mau hábito, o crescimento acima de oposição e ataque, a exaltação espiritual que surge de resistir à invasão da submissão ao lado material da vida. Às vezes, quando você está cansado e fraco com a luta; quando parece que a justiça é um sonho, que a honestidade, a lealdade e a verdade nada valem, que o diabo é o único bom pagador;; quando a esperança começa a escurecer e falhar, então é a hora de elevar-se na grande e sublime fé de que o Correto deve prevalecer. Então, você deve reprimir esses diabinhos da dúvida e do desespero, dominar a si mesmo para dominar o mundo à sua volta. Isso é a Conquista; isso é o que conta. Até um tronco pode flutuar com a correnteza; é preciso um homem para lutar com firmeza contra a maré que pode levar seu barco para fora do seu curso. Quando a inveja, as pequenas intrigas, as maldades e os desentendimentos da vida lhe assaltarem, se erga acima deles. Seja como um farol que ilumina e embeleza as impiedosas e arrogantes ondas da tempestade que o ameaçam, que procuram debilitá-lo e varrê-lo. Isso é a Conquista. Quando a chance de ganhar fama, riqueza, sucesso ou a conquista do que seu coração deseja, pelo sacrifício da honra ou de seus princípios, vier até você e não lhe afetar por tempo suficiente até mesmo para parecer uma tentação, você foi o vitorioso. Isso também é a Conquista. E a Conquista é parte do caminho real para a Felicidade.

A consciência, como a mentora, guia e bússola de todos os atos sempre leva para a Felicidade. Quando o indivíduo consegue ficar sozinho com sua consciência e ganha sua aprovação, sem usar a força ou uma lógica falaciosa, começa a conhecer o que é a verdadeira Felicidade. Mas o indivíduo deve ser cuidadoso para que não esteja apelando para uma consciência pervertida ou esmorecida pelos malfeitos e consequente surdez de seu dono. O homem que está buscando

O poder do autocontrole

honestamente viver sua vida em Consagração, Concentração e Conquista, vivendo do dia a dia o melhor que pode, pela luz que possui, pode confiar implicitamente na sua Consciência. Ele pode fechar seus ouvidos para "o que o mundo diz" e achar na aprovação da sua própria consciência a mais alta tribuna da terra – a voz do Infinito comungando com o Indivíduo.

A infelicidade é a fome de obter; a Felicidade é a fome de dar. A verdadeira felicidade deve sempre ter o tom da tristeza a que se sobreviveu, a sensação da dor amaciada pelos anos amadurecidos, o castigo da perda que nos mistérios maravilhosos do tempo transforma nosso sofrimento em amor e empatia para com os outros.

Se o indivíduo decidir, por um só dia, dar Felicidade, fazer a vida mais feliz, mais brilhante e mais doce, não para si mesmo, mas para os outros, ele achará uma maravilhosa revelação do que a Felicidade realmente é. O maior dos heróis do mundo não poderia, por qualquer série de atos de heroísmo, fazer tanto bem quanto qualquer indivíduo que vive toda a sua vida procurando, dia a dia, fazer os outros felizes.

A cada dia deveria haver uma revelação recente, uma nova força e um entusiasmo renovado. "Só por hoje" pode ser o lema diário de milhares de sociedades ao longo do país, composta por membros unidos para fazer do mundo um lugar melhor, por meio do simples ato constante de gentileza, doçura e amor. E a Felicidade viria até eles, na sua mais elevada e melhor forma, não porque eles buscaram absorvê-la, mas porque procuraram irradiá-la.

Psicologia aplicada para entender o poder da sua mente

A mente é definida como "a faculdade ou o poder pelo qual as criaturas pensantes sentem, pensam e desejam". Essa definição é inadequada e de natureza circular, mas isso é inevitável, pois a mente só pode ser definida em seus próprios termos e apenas por referência a seus próprios processos. Atkinson defendia que "Somos em grande parte aquilo que pensamos ser. A pessoa que acredita piamente em si mesma e mantém uma atitude mental forte de confiança e determinação não será afetada por pensamentos adversos e negativos de desânimo e fracasso que emanam das mentes de outras pessoas nas quais essas características predominam". Neste livro, o autor apresentará um verdadeiro manual de psicologia aplicada para entendermos qual é o real poder de nossa mente, como podemos utilizá-la para alcançar nossos objetivos e, principalmente, como controlar nossas emoções para que não sejamos dominados por elas.

Entre os autores do Novo Pensamento, William Walker Atkinson não foi apenas um dos mais eminentes, mas também um dos mais prolíficos. Ele escreveu extensivamente sobre uma ampla gama de assuntos, incluindo ioga, história religiosa, reencarnação e, em particular, treinamento da mente. Suas obras têm gozado de popularidade duradoura em virtude da força dos conceitos e do estilo sucinto de redação que o autor apresenta. Uma de suas obras mais notáveis é este manual de treinamento mental, publicado pela primeira vez em 1911. Um verdadeiro clássico da literatura mundial que irá definitivamente modificar o seu modo de pensar.

A verdade é imprescindível e sempre compensa

Não importa o tamanho da decisão que você precise tomar, a verdade deve ser nosso guia e inspiração constante. Ela não é um traje de gala, exclusiva a ocasiões especiais, mas sim a base para a vida diária.

Este livro é um guia muito poderoso, selecionado por estudiosos como parte do conhecimento de nossa civilização como a conhecemos para que fiquemos longe das armadilhas comuns do autoengano. Até hoje, contribui positivamente para a humanidade, em qualquer lugar e época.

Jordan defende que o indivíduo deve pensar por si próprio, desenvolver seus sentidos e controlar sua emoção. A educação institucionalizada não basta para formar seu caráter e basilar suas decisões, por isso a verdade deve ser desenvolvida assim como qualquer outra habilidade.

A partir dos ensinamentos de William George Jordan, faça como muitos outros nas últimas décadas e aprenda a desenvolver seu senso crítico, suas habilidades e seu grande poder interno: utilizar a verdade durante toda a sua jornada em qualquer situação.

Livros para mudar o mundo. O seu mundo.

Para conhecer os nossos próximos lançamentos
e títulos disponíveis, acesse:

🌐 www.**citadel**.com.br

ⓕ /**citadeleditora**

📷 @**citadeleditora**

🐦 @**citadeleditora**

▶ Citadel – Grupo Editorial

Para mais informações ou dúvidas sobre a obra,
entre em contato conosco por e-mail: